쿠바,
삶의
여유를
배우다

김소영 지음

맑은샘

시가는 고독한 혁명의 길에 가장 훌륭한 동반자였다.

- Che Guevara -

Prologue

쿠바에 직접 가 보고, 쿠바 이야기를 쓰면서 새로운 변화를 느꼈다. 지금까지 30여 개국 이상 여행하였지만, 변화를 준 곳은 그리 많지 않았다.

2007년 인도 바라나시 여행은 〈삶과 죽음은 종이 한 장 차이〉라는 걸 알게 해 주면서, 죽음에 대한 불안에서 벗어나게 해 주었고, 또한 죽고 사는 문제가 아니면 통과, 통과, 하면서 살게 했다. 그리고 2012년 호주에서의 1년은 느긋한 마음으로 여유 있게 살고자 노력하게 해 주면서, 글을 쓰게 해 주었다. 그렇게 사는 것이 최선이라 생각했다. 그런데 2017년 쿠바 여행은 나에게 구체적으로 어떻게 살아야 하는지를 더 알게 해 주었다. 한 단계 업up되어 자유롭게 즐기는 삶을 살라는 강한 인상을 주었다.

지금까지 심신을 위해 심신의 여유만을 찾으려 했었는데, 자유롭게 즐기고 사는 것이 더 풍요로운 삶이라는 것을 가르쳐 준 새로운 전환점이 되었다.

그러면 앞으로 어떻게 살 것인가?
의식주가 해결되고 음악과 춤이 있다면 더 이상 무엇이 부러우랴?

그래 그래.

하루 한 바퀴는 살사 음악을 들으면서, 살사 춤을 추며 심신의 노폐물을 날리자. 흔들의자에 앉아 흔들거리며 음악에 박자 맞추며, 보고 싶은 책을 보고, 쓰고 싶은 글을 쓴다면 금상첨화려니!

이제는, 마음이 원하면 원하는 곳으로 언제든 훌훌 떠나 또 다른 여행을 하고, 그런 삶으로 다시 살아보리라.

여행은 그렇게 나의 앎의 세계를 넓혀 주고, 새로운 삶의 아이디어를 창출하게 한다. 또한, 어떤 순간에도 최선을 다하게 한다. 그래서 새로운 꿈을 꾸게 하고, 새로운 글을 쓰게 한다.

지금처럼…

쿠바가 마무리되면, 다시 무엇에 새롭게 관심을 가질까?

2017년 11월

평강 김소영

TABLE OF CONTENTS

은행 다니는 건강한 여성으로 주말에는 뜨개질 협동조합을 한다

쿠바에 가려고
준비하다

책을 읽고, 생각하고, 글을 쓰는 삶이야말로 최고의 행복이고, 건강해지는 비결이라 생각된다. 그래서 다시금 생각하고, 온몸으로 느끼는 〈나의 여행, 인생의 여행〉에 도전하고자 한다. 멀고 먼 〈쿠바〉에 대한 새로운 꿈을 꾸고, 새로운 경험을 하고, 새로운 느낌으로, 새로운 글을 한번 써 보자. 그렇게 더 나은 삶의 단계로 나아가기 위해 오늘도 꿈을 꾸고, 그 꿈을 위해 노력한다.

라틴 아메리카의 마지막 사회주의 국가 〈쿠바〉가 더 변하기 전에 한번 가려고, 2016년 11월부터 쿠바 여행 사전 공부를 했다. 2주에 한 번씩 쿠바 여행을 함께할 사람들과 쿠바에 관한 역사, 혁명, 문화, 음식 등 공부도 하고, 강사를 모셔다가 살사 춤도 2시간씩 배웠다. 40대까지만 해도 몸이 잘 움직였는데, 지금은 몸이 마음대로 움직여지지 않는다. 그래도 살사 강사님 왈, 흥겹게, 자연스럽게 움직이면 된다고 하여 그리 걱정은 하지 않는다. 그러나 너무 정열만 앞서지 않도록 절제는 하자.

여행이란 관습과 습관에 길든 나를 자극하고, 변화시키기 위한 도전이라고 한다. 지금까지의 편견과 오해를 버렸을 때 새로운 맛을 느낄 수 있다고 하니 나 또한 제로에서 새롭게 시작하자.

인생의 원동력은 권력도, 명예도, 돈도 아니고 '아이디어'인데, 새로운 아이디어 창출을 위해 오늘도 노력한다. 현장에 가면 얼마나 알아듣고, 말할 수 있을지 몰라도 스페인어 공부를 한다.

쿠바의 날씨

1년 내내 평균 20도. 6월에서 9월은 30도 이상.

우기(5월~10월)와 건기(11월~4월)가 뚜렷하다.

쿠바의 인종

총 인구 1,200만 명으로 65%가 스페인계 백인, 25%가 메스티소(인디언 후손과 유럽인의 혼혈)나 물라토(중남미 백인과 흑인의 혼혈) 같은 혼혈, 10%가 흑인이다. 피델 까스뜨로 혁명 정부 이후 인종 차별은 없다. 쿠바 인구의 82%인 1,000만 명이 Musician으로 음악과 춤으로 즐기며 살고 있다.

쿠바의 종교

종교는 로마 가톨릭교가 많다고 하나 별로 눈에 띄지 않았고, 토속 신앙 〈산테리아〉 무당을 믿는데, 생활의 신이나 역술 문화로 여긴다. 아프리카 노예들의 토속 신앙 〈요루바〉에 스페인의 가톨릭이 합쳐진 것이라고 한다.

집안에 모신 신

재수를 보아 주고 있다

라 아바나 성당 Catedral de la Habana

쿠바 국기의 의미

3개의 파란 줄은 독립운동 당시의 세 군관구를,

하양은 독립운동의 순수함을,
삼각형은 자유-평등-박애를,
빨강은 독립을 위해 흘린 피를,

별은 독립을 상징한다고 했다.

쿠바로 가는 방법

1. 대한항공이나 아시아나로 캐나다 토론토로 가서 에어 캐나다로 아바나 가는 법 : 인천~토론토 13시간 + 토론토~아바나 3시간
(토론토 stop over 1박 혹은 바로 갈아타고 가는 법)

2. 도쿄와 멕시코시티를 경유하여 두 번 갈아타고 가는 법

3. 네들란드 암스텔담 등 유럽을 경유하여 가는 법
(시간은 많이 소요되나 30만 원 저렴)

출발하는 인천 공항에서의 Oh my God!

우리의 쿠바행은 일반 여행사를 통해 가는 것이 아니었다. 그러다 보니 주최 측에서는 체크리스트만 줄 뿐, 일일이 확인하지 않았고, 우리 또한 2014년 8월 미동부 여행 시 캐나다 나이아가라에서 숙박했기에 캐나다 전자 여행 허가서eTA가 필요한지 몰랐다.

그런데 2016년 11월 10일부터 제도가 바뀌어 캐나다 출국 72시간 전에 전자 여행 허가서를 신청해서 허가 번호가 나와야 한다는 것을, 비행기 출국 수속 직전에 알게 된 것이다.

그때부터 인터넷을 할 수 있는 공항 2층으로 뛰어가서 신청을 하고, 출국 수속을 담당하는 대한항공 직원이 한밤중인 캐나다로 전화해서 승인해 달라고 부탁을 하는 등 빠르게 움직였다. 그러나 기다리는 중 비행기 출발 시각은 다 되었고, 다음 비행기는 이틀 후에나 있다. 지금 함께 출발하지 않으면 여행을 포기해야 할 상황이었다.

그런데 그때 캐나다 비행기의 이륙이 30분 지연된다고 방송이 나왔다. 오 마이 갓! 하늘의 운이 닿은 것 같았다. 쿠바에 못 갈 팔자는 아니구나!

생각되었다.

캐나다는 밤 12시인데다가, 자기들은 바쁠 이유가 없고, 재촉하면 더 안 해 주니까 느긋하게 승인해 줄 때까지 기다려야 한다는 것이다. 10여 분 애를 태우고는 승인해 주어 가까스로 비행기를 탔다.

쿠바는 가기도 전부터 기다림이었다

토론토에서 오후 4시 30분 비행기로 쿠바 아바나로 가려고 비행기를 탔다. 에어 캐나다 비행기는 고장으로 수리하고 있었는데, 2시간이나 기다려도 수리가 안 되어 결국은 다른 비행기를 타기 위해 내려서 또 두 시간을 기다렸다. 전체적으로 보면 예정 비행 시각보다 4시간이나 지연되었다. 돈을 10달러씩 주었다. 또 새로운 세계다. 그래서 완자탕을 맛있게는 먹었다.

터키에서 가방이 도착 안 해서 황당하더니, 두 시간 기다렸다가 다시 2시간 후 비행기 타는 일은 처음이다. 그래도 인천에서 올 때 생각하면 선생님이다.

쿠바행 비행기 옆자리의 20대 젊은 남녀는 프랑스에서 왔는데, 간호사와 엔지니어라고 한다. 같은 고등학교에 다니면서 그때부터 사귀어 9년이 되었다고 한다. 2주간 쿠바 여행을 할 예정이란다. 그들은 쿠바를 왜 왔을까? 콜럼버스가 발견하고 〈세상에서 가장 아름다운 땅〉이라고 해서?

그러면 나는 어떤 느낌을 받을까? 인천에서의 출발부터가 힘들었고, 기다림에 지쳐 기대에 대한 생각도 잊어버렸다.

4시간 지연과 3시간의 비행 후 아바나 공항에 도착하니 새벽 1시 30분이었다. 아바나 공항의 세관들은 어깨에 빨강 별을 두 개씩 달고 있는 것이 특이하게 보였다. 한참을 기다려도 가방이 나오는 벨트가 움직이질 않는다. 사회주의여서 가방 검사가 철저한가. 이 새벽 3시에. 바쁠 것이 없는가? 왜 벨트가 움직일 생각도 안 하는 것인가? 약간은 인도의 느낌이다. 출발해야 출발 시각이고, 도착해야 도착 시각이니…

언제 나오려나

호텔과 하루가 아깝다. 지금이 새벽 3시인데, 일본은 나오는 가방을 가지런히 정리까지 해 주었는데, 이상한 나라 쿠바다. 새벽이라 인력이 부족한가? 항의하는 사람도 하나 없다. 쿠바에 온 것만 해도 오감한 건가. 가방만 기다리느라 총 한 시간 반을 기다렸다.

진돗개 두 마리를 데리고 경찰 2명이 짐 나오는 곳으로 방금 들어갔다. 그러고서야 가방이 나오기 시작한다. 짐을 찾아 겨우 들고 나오는데 휠체어 탄 사람과 한 명의 동행자가 짐을 6개 들고 나오니 조사를 해야겠다고 옆으로 나오게 했다.

온통 기다림이다. 비행기가 4시간 지연되고, 가방도 1시간 30분이나 기다리고 나왔는데, 호텔 방갈로에 오니, 방갈로 키가 안 맞아서 또 기다리고 -- 쿠바는 처음부터 우리에게 기다림을 가르쳐 주었다. 쿠바인의 국민 스포츠는 기다림이고, 쿠바인의 인생도 기다림이라고 한다.

호텔 방갈로

사회주의 국가
쿠바의 모습들

캐나다 공항에는 영어와 프랑스어가 이중으로 적혀 있었고, 쿠바 공항에는 스페인어와 영어가 이중으로 기록되어 있어서 사회주의라는 느낌이 별로 들지 않았다.

네 블록마다 광장으로, 여백과 여유가 있는 길

스페인이 지배한 중남미 도시들은 네 블록마다 광장과 종교 시설을 만들어서 정서적으로 여백과 여유가 있었다.

중요한 것은 전부 가슴에

쿠바는 할머니도 아가씨도 중요한 것, 즉 돈과 핸드폰은 전부 가슴에 보관한다. 나도 돈을 넣고 다니다 보니 편하고 아주 안전하였다.

쿠바의 사회주의는

겉으로 보기에는 자본주의인 우리나라와 별 차이를 모르겠다. 자유롭게 거리를 오가는 가운데 회색 상의와 감색 하의를 입은 경찰 두 명과 초록색 군복을 입은 군인 한 명이 한 조가 되어서 걸어 다녔다.

공산주의란 재산이 전부 정부 것이고, 사회주의는 더 포괄적인 의미로 개인의 재산이 인정되는 것이라고 한다.

자살을 엄청난 뉴스로 여기는 쿠바 사람들은 다혈질이 아니고, 낙천적인 평화주의자이다. 정부가 모든 인민의 복지를 책임지는 국가 쿠바의 공동체 의식이 범죄를 예방하는 큰 요인이다. 섬나라이면서, 경찰국가여서 범법행위를 하고는 도망갈 수도 없는 나라이기도 하다.

물구멍이 길거리로

2층 베란다의 물구멍(?)이, 길거리로 배관이 나와 있다. 배수 시설이 잘 안 되어 있는지, 비가 오면 물을 사용하려고 하는지 알 수 없었지만, 비가 오면 지나가는 사람들이 불편하지 않을까 생각되었다.

헬스장

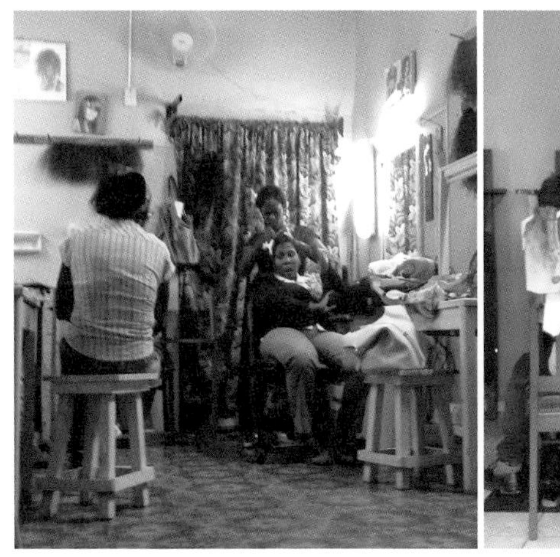

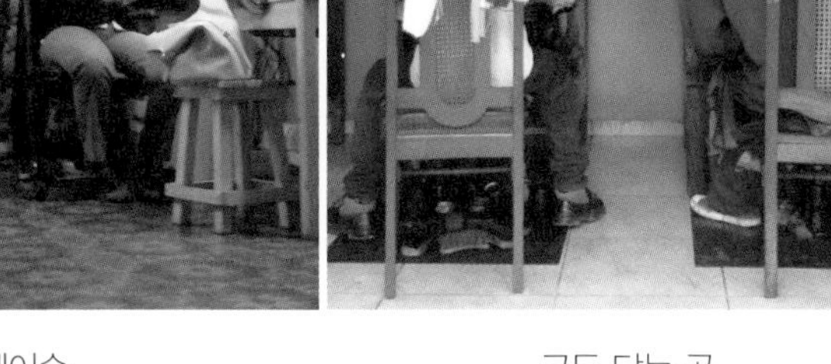

헤어숍

구두 닦는 곳

함께 사진 찍고 돈 받는 사람들

사진 찍어 주고 돈 받는 개 불쌍타 ~
할아버지는 개가 움직이면 제자리에 다시 데려다 놓는다

아바나 오비스뽀 거리의 환전소 CADECA

외국인은 유로나 캐나다 달러를 CUC쿡으로 쿠바 사람들은 CUC쿡을 CUP모네다으로 바꾸기 위하여 볼 때마다 줄이 길게 서 있다. 호텔에서도 환전이 가능하나 환율이 다르다.

쿠바가 CUC & CUP 두 가지 화폐를 사용하는 이유는?

불편할 것 같은데도 공식 화폐를 두 종류로 사용하는 이유는 외국인에게는 돈을 많이 쓰게 하고, 내국인에게는 저렴하게 사용하도록 하기 위한, 내국인을 위한 방침으로 여겨진다. 내국인 돈과 외국인 돈으로 나누어진 것이라고도 하지만, 확인은 하지 않으나 바코드가 있으면 CUC쿡으로 사야 하고, 바코드 없는 시장에서는 CUP가 사용되고 있다.

우리나라에서는 쿠바 돈을 환전할 수 없어, 유로나 캐나다 달러로 환전하고, 쿠바에 들어가서 페소(=우리 돈 원의 의미)로 바꾸어야 한다.

공무원이 월 150CUPM/N. 모네다이며, 연금은 6CUC이다. 무 노동자는 120모네다를 받고, 아무리 많이 벌어도 보통 600모네다(30CUC)이다. 그러나 쿠바사람들은 부족하지만, 기본적인 생활이 되기 때문에 자존심이 상할 정도로는 돈을 벌지 않는다고 한다.

쿠바 화폐 CUC쿡과 CUP모네다는 구분하기가 쉽지 않다. CUC쿡은 건물그림으로 PESOS 밑에 pesos convertibles이라고 작은 글씨가 있는 것이고, CUP모네다는 사람 얼굴만 그려져 있는 것이다. 1CUC쿡은 약 1,300원이며, 1CUP모네다는 약 50원으로, 1CUC쿡은 약 25CUP모네다가 되므로 차가 아주 크다.

CUC쿡　　CUPM/N

위 10CUP / 아래 10CUC

위 3CUP / 아래 3CUC

쿠바 지폐

- 1CP　호세 마르띠 Jose Marti (1853~1895 쿠바 출생)
- 1CUC　혁명 광장

- 3CUP　체 게바라 Ernesto Guevara (1928~1967 아르헨티나출생)
- 3CUC　산타클라라 기념관

- 5CUP　안또니오 마쎄오 Antonio Maceo (1848~1896 쿠바 출생)
- 5CUC　말레꼰 공원

- 10CUP　막시모 꼬메즈 Maximo Gomez (1836~1905 쿠바 출생)
- 10CUC　아바나만 터널 공원

- 20CUP　까밀로 씨엔푸에고스 Camilo Cientuegos (1932~1959 도미니카 출생)
- 20CUC

- 50CUP　깔리스또 까르씨아 Calixto Garcia (1839~1898 쿠바 출생)
- 50CUC　말레꼰 기념비

- 100CUP　까를로스 마누엘 데 쎄스뻬데스 Carlos Manuel de Cespedes (1817~1873 쿠바 출생)
- 100CUC　아르마스광장

팔자 중에 상팔자

나만의 자리

배는 부르고

잠이 오면 자고요

무엇이 걱정이오

자유로운 영혼과 육신인데

더 이상 무엇이 부러우리

쿠바 사람들이 행복하고,
자살을 모르는 이유는?

무상 교육

쿠바의 교육은 불필요한 경쟁보다는 건설적인 협력을 강조하고, 타인을 다스리는 방법보다는, 자신을 다스리는 방법을 가르치면서 더불어 사는 사회와 세상을 추구한다.

원하는 만큼, 하고 싶은 만큼, 공부를 무상으로 할 수 있어서 부모 탓이나 사회 탓도 하지 않는다.

경쟁적이지 않고, 비교하지 않고, 비교되지 않고, 서로가 동등하게 같은 위치에서, 위축되거나 열등의식 없이 부끄럽지 않고, 당당하게 살아간다. 거기에다 서로가 신뢰하고, 즐기고, 운동하고, 일하고, 함께 나누는 삶으로 그들은 다 함께 행복했다.

눈에서 빛이 나는 쿠바 아바나의 초등학생과 여중생들은
전혀 부끄러워하지 않고 자연스럽다

호세 마르띠 사진이 걸려 있는 호세 마르띠 초등학교JOSE MARTI Escuela primaria 교실

작은 학교 정원에서 놀고 있는 초등학교 어린이들

무용 발표회를 기다리고 있는 초등학생들

모두가 당당한 여중생들

여고생들의 합리적인 교복 패션

당당하고 꾸밈없이 웃는 여중생들

여중생들의 싹 빗어 뒤로 묶어 돌려서 올린 머리는 아름다워 보였다. 또한, 한 명 한 명이 모두 당당했다.

꿈과 열정을 지닌 아이들, 잠재력을 키워 줄 수 있는 제도와 환경이 어우러지면 놀라운 결과를 가져올 수 있음을 쿠바는 보여 준다. 쿠바의 제도와 환경은 지도력과 교육의 합작품이라고 한다.

여고생들의 교복은 상의는 넥타이가 있어서 단추 사이로 속옷이 보이는 것을 염려하지 않아도 되고, 하의는 우리나라의 짧은 미니스커트보다 짧은 반바지에 앞뒤에 치마가 붙어 있어서 속옷이 보이는 것에 신경 쓰지 않아도 되어, 학생들이 활동하기에 아주 좋아 보였다.

광장에서 교복을 입고 옷에 신경을 쓰지 않고 늦도록 놀고 있는 여학생들이 많았다.

우리나라 여중생들의 교복은 보는 사람이 아슬아슬함을 느끼게 한다.

자연스럽게 표정을 짓는 귀여운 초등학생

무상 의료

누구나 아프면 같은 의료 혜택을 받는다.

약국 안의 모습

약국 밖에서 약 타려는 사람들

무료 급식

매월 밀가루 5파운드, 쌀 5파운드, 설탕 2파운드를 무상으로 지급받는다. 또한, 팔뚝만 한 바게트 식빵을 하루에 하나씩 무료로 배급받는다.

국가가 운영하는, 그릇에 담아 주는 아이스크림 값은 100원이지만, 커피와 음료수는 300원, 800원으로 비싸서 주로 외국인만이 사 먹는다.

창틀이 있는 캔디 가게에서 6CUP(모네다), 우리 돈으로 250원짜리 캔디를 사려고, 어른도 여학생들도 줄을 서 있다. 물건들이 많지가 않아, 정부에서 주는 양이 다 팔리면 사고 싶어도 살 수가 없다고 한다.

아바나 레브레 호텔 근처에 있는, 유명한 국영 기업체 아이스크림 집 꼬뻴리아는 우리나라 유원지 같았다. 외국인 9CUC, 내국인 2CUP(100원)로 엄청나게 차이가 있었지만, 쿠바 가이드가 내국인으로 해서 아주 싸게 먹었다. 아이스크림도 맛이 있었다.

아이스크림 집 꼬뻴리아Coppelia

쿠바 남자들의 부드러운 볼 키스는 포근했다

변호사 파벨Pavel도, 파벨의 아들 6살 Babio도, Casa 관리인의 아들 고등학생에게도 볼 키스를 받았는데, 부드럽고 포근한 느낌이었다. 사회주의에서 이런 포근한 맛이란 상상도 못 한 부분이다.

우리나라 남자들도 인사로 볼 키스를 한다면 어떨까?

모든 사람이 더 깔끔해지고, 매너가 좋아지지 않을까 상상해 본다. 그래서 향수를 사용하는구나 생각되었다.

여성들은 대접받는 기분이고, 6살 어린 남자인데도 아주 점잖아 보였고 신사 같았다. 어릴 때부터 그렇게 살고 있으니 좋은 매너가 몸에 배나 보다. 엔칸타다Encantada('반가워'라는 스페인어)라고 인사하자 6살 Babio가 내 볼에다가 보드라운 키스를 해 주어 아주 행복했다.

가이드 Pavel의 아들 Babio와 딸 Sopia

Social Connection은 모든 쿠바인의 정신이다

쿠바는 느리지만, 그 대신에 Social connection을 자~알 한다. 모든 기다림의 시간에 누구하고나 대화를 한다. 버스를 기다리며 대화하다가 거기에서 결혼까지 가기도 한다.

우리나라의 Social connection하고는 많이 다르다. 우리나라는 아무하고나 이야기하면, 주책이라 하고, 형편없는 사람으로 생각한다. 잘나고 권위를 지키려면 말없이 고고하게 있어야 하고 그것이 교양이라 착각한다. 진실로 그것이 우리나라 사람 관계의 장막이 아닌가 생각된다.

Social connection이 아름다운 사회를 만든다는, 생각의 전환이 절대적으로 필요하다. 언제든지 나갈 데가 있고, 말할 사람이 있고, 함께 쉴 수 있는 곳이 있다는 것이 자살을 모르고, 외로움을 모르는 쿠바의 공동체의 삶이다.

많은 국민들이 교육을 받아서인지 토론을 좋아하는 쿠바 사람들은 어디서나 누구하고나 삶의 대화를 나눈다. 예술, 문화, 역사, 과학, 종교, 운동 등에 대한 토론을 통해 그들은 지식과 생각을 주고받는다. 쿠바인들의 토론은 지적 과시를 위한 논쟁, 정치가들의 선전이 아닌 건설적이고 생산적인 교환이다. 토론의 유익함을 알고 있는 쿠바인들은, 통제가 심한 경찰국가라서 정부와 제도보다는 사람들끼리 서로 믿고 의지한다고 한다.

국회의사당Capitolio을 시작으로 하는 프라도 거리

누군가와 함께 쉬고 대화하며 힐링하는 프라도 거리

예술의 프라도 거리

누구하고 어디서나

우리 일행도 Social Connection을 배웠다?

쿠바인의 삶의 태도는 긍정적이다.

주어진 조건에서 살아가는 지혜가 있다.

그래서 그들은 행복하다. 쿠바인들은 대립이나 갈등을 하지 않는다. 편안하고 행복한 여유가 몸에 배어 있는 쿠바 사람들은 경제적으로 가난하지만, 문화적으로 유복하다.

행복을 느낄 줄 안다. 꿈을 먹고 산다. 또한, 혁명 정신에 반하지 않으면 어떤 예술이든지 가능했다.

누구나 즐기는 춤과 음악

쿠바 어디에서나 들려오는 아프리카의 리듬 위에 스페인풍의 우아한 선율이 전개되는 SON(음악)과 춤은 쿠바 흑인계의 오락이다.

원래 쿠바 동부의 민요에서 생겨난 것으로 1920년대에 전 지역에서 유행하였으며, 기타, 겹줄 3코스의 현악기인 토레스, 마라카스, 클라베이스, 우드 베이스, 봉고 등 6명으로 편성되어 연주하는 것을 말한다. 룸바, 차차차, 살사, 메렝게 등 여러 가지 라틴 음악의 원류를 이루고 있다.

룸바는 19세기 서아프리카에서 온 흑인들 중심으로 퍼졌는데, 원래의 뜻은 〈같이 모여서 춤추자〉로, 오늘날 쿠바 음악의 밑거름이 되었다.

살사는 룸바와 SON이 합쳐진 것으로 건전하고 율동감이 넘치는 춤으로, 축제나 파티에서 자유롭게 즐기는 춤이자 대중적이고 공개적인 춤이다. 남녀가 서로 서서 손을 잡고 밀고 당기는 기본 스텝에서, 손을 엇갈려 잡은 후 회전을 섞은 응용 동작으로 구성되어 있다.

2박자의 춤 〈메렝게〉는 한국에서 강사가 가르쳐 준 것인데, 무대에서 Singer가 노래하면서 메렝게를 추고 있었다.

여행객도 쿠바인도 누구나 어디서나 춤을 추고 즐기니, 쿠바 사람들은 자살할 이유가 없다. 캐나다의 한 여성은 살사를 추려고 쿠바 아바나까지 5일간 휴가를 왔다고도 했다.

아바나 오비스뽀 거리Calle Obispo 레스토랑에서 들려오는 생음악 소리에 맞추어 어르신(?)도 춤을 춘다.

아바나 방갈로 호텔 야외무대에서도 앞에서는 신 나는 노래를 부르고, 의자에 앉아 있는 사람, 자기 자리에 서서 춤을 추는 사람 모두 즐긴다. 노는 것을 보면서 함께 즐기다 보니 몸도 마음도 가벼워졌다. 흥겹게 가볍게 마음과 몸이 가는 대로 춤을 춘다.

이것이 이번 쿠바 여행의 포인트구나 하고 생각되었다.

그래.

삶은 다른 게 아니야. 그냥 자유롭게 그리고 마음이 가는 대로 흥겹게 즐기고 사는 거야 ~ 거야 ~

레스토랑에서도 흥겹다

레스토랑에서 우리도 연주해 본 악기들

거리에서도 흥겹다

쿠바 레스토랑에서 살사 춤을!

오비스뽀 거리의 레스토랑에서 맥주를 마시며 바닷가재를 먹고 나서, 생음악에 춤을 추었다. 프랑스 파리에서 왔다는 여자의 춤을 따라 추면서 흥이 나고 익숙해져, 나중에는 아주 춤을 잘 추는 에콰도르 남자와도 신 나게 춤을 추었다. 함께 추면서 같은 살사라도 조금씩 다르게 추는 것을 배웠다.

에콰도르 남자가 나에게 Good이라고 했다. 남자가 썩 마음에 들지는 않았지만 춤만은 기차게 춰서, 배우게 되어 좋았다. 서울에서 춤 강사에게 배울 때보다 훨씬 따라 하기가 쉬웠다. 또한, 바닷가재도 짜지 않고 맛있어서 두 번이나 간 레스토랑이기도 하다.

프랑스 여자 춤을 따라 추고 있다

산티아고 데 쿠바 현장에서도 살사(Salsa)를 배웠다.

우리 일행은 춤을 배우는 곳으로 가서 파트너를 정해서 배웠다. 22살의 젊은 남자 다께치(배낭 맨 흑인)가 내 파트너가 되었다. 조금 배우다가 시키는 대로 추면 재미가 없으니 그냥 기본 스텝에서 자유롭게 신나게 추자고 하면서 즐겁게 추었더니 다께치도 신이 났다. 우리 팀이 가장 재미있었던 것 같았다. 처음엔 춤추는 젊은 흑인 남자들이 좀 무서웠는데 나중에 보니 젊은이들이 다 선해 보였다.

광장에서 타워 맥주 Tower cerveza를 마셨다

홀 안에도 타워 맥주Tower cerveza와 춤이 있었다.

무대가 있고 아주 넓은 홀에는 춤을 추라고 여기저기 흩어져 의자가 있다. 사람들에게 어디에서나 춤을 추라고 하는 것 같다. 관따나메라Guantanamera를 신청했다.

라틴 음악에서 아는 것이라곤 관따나메라뿐이니. 사전 공부를 했는데도 키사스 키사스Quizas Quizas, 찬 찬Chan Chan 등이 생각나지 않아 신청하지 못했다.

레게머리로 아름다움을 표현한 당당한 젊은 여성

쿠바의 가이드들

아바나를 안내한 변호사이면서 가이드를 하는 파벨은 아버지가 법무부 장관인데 월급이 40CUC(5만 원)이란다. 그래서 쿠바식 사회주의는 개인이 조금이라고 돈을 더 벌려고 노력하고 있다.

예전에 이탈리아 여행 시, 한국인 여행 가이드로 아르바이트를 하는 음대 교수가, 월급의 절반은 세금으로 나가기 때문에 악기를 사기 위해서 가이드를 한다는 말이 생각났다.

쿠바는 그나마 영어를 할 줄 아는 변호사나 대학교수가 전부 본업과 더불어 여행 가이드를 하고 있다. 또한, 상가는 국영 기업이고, 길거리의 시장은 개인 사업이라고 한다.

산타클라라 가이드 아나벨은 초등학교 영어 교사를 하다가 지금은 6명의 학생에게 개인 영어 과외를 하고 있다. 1인당 10CUC(13,000원)을 받고, 세금을 10CUC 낸다고 한다. 50CUC을 가지고 아버지, 어머니, 시어머니까지 모시고 살고 있다가, 최근에 가이드를 하여 추가로 더 벌고 있다고 했다.

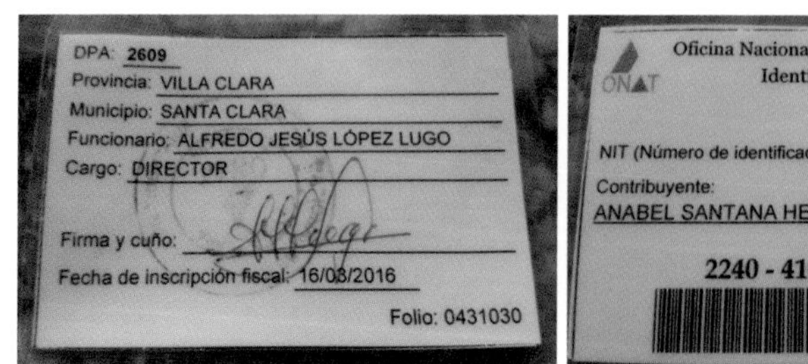

DPA: 2609
Provincia: VILLA CLARA
Municipio: SANTA CLARA
Funcionario: ALFREDO JESÚS LÓPEZ LUGO
Cargo: DIRECTOR
Firma y cuño:
Fecha de inscripción fiscal: 16/03/2016
Folio: 0431030

Oficina Nacional de Administración Tributaria
Identificación fiscal única
RC-05
ONAT
NIT (Número de identificación tributaria): 73011004214
Contribuyente:
ANABEL SANTANA HERNANDEZ
2240 - 4103 - 7011 - 9062

초등학교 교사였던 산타 클라라 가이드 자격증

아바나 가이드 〈Pavel〉

변호사, 예술가, 깡마르고 머리가 어깨까지 긴, 우수에 젖은 예수의 눈으로 다가오는 파벨이다. 쿠바를 개발하는 것은 좋지만, 관광객만을 위한 개발이 되어서는 안 된다고 생각하는 쿠바인이다.

변호사 일이 같은 일만 반복되어 창조성이 없어서, 좋아하는 일을 하기 위해 변호사를 2년 하다가 가이드까지 가끔 하면서 문제 학생, 노인 돌봄 등 다양한 협동조합을 두루 지원하며 전반적인 활동을 하고 있다.

전혀 권위적이지 않고, 자리가 부족하면 택시 바닥에 앉아서도 가는 파벨이다. (부인 Sandra, 아들 Babio, 딸 Sopia)

아바나 시내의 5개의 광장이 서로 연결되어 있는 것에 대해 아주 열심히 설명해 주었다. 통역을 맡은 대학교수의 대학교에 남편이 아는 교수가 있어서, 둘이서 많은 대화를 했다.

아바나 시내를 스페인어로 안내한 남자분(왼쪽)과 영어로 통역한 영어학과 대학 여교수

산티아고 데 쿠바 가이드 <아나>

산티아고 데 쿠바에서 만난 영어 가이드의 이름은 '아나'였다. 그래서 현지 남자 가이드를 '모르나'로 하자고 농담을 했다. 아나? 모르나?

아나는 아주 당당한 여자로, 대학에서 영어를 가르치다가 그만두고, 사회 지원 센터에서 일하면서 여행 가이드를 하고 있다. 남편과는 이혼하고, 엄마와 딸과 함께 살고 있는데, 딸은 아주 미인이었다.

아나는 딸과 저녁 7시에서 8시까지 침대에 함께 누워 온종일 일어났던 모든 일에 대해서 서로 의견을 나눈다고 한다. 이렇게 시간을 할애하여 자녀와 함께하는 것이 자녀를 사랑하는 부모라 생각되었다. 우리도 배워야 할 가정 교육의 한 부분이었다. 아나의 딸은 의사가 되고 싶단다.

가이드들이 들려준 전반적인 이야기들

자살이라는 말을 들어 본 적이 없다(질문에 대한 대답).

대학 때 다양하게 거의 동거를 한다.

쿠바의 젊은이들은 현재 관광 안내 전문가들이 있는 것처럼 쿠바 사회가 열리면 각 분야에 전문가가 필요하고, 공부도 하고 싶은 만큼 할 수 있으니까 각 분야의 전문가가 되기를 원한다.

쿠바는 결혼해서 한두 명의 자녀를 두는 핵가족화로 변화되고 있다.

휴일

1월 1일 혁명 정부 수립 기념일

1월 7일 러시아 정교회의 크리스마스

1월 28일 피델의 탄생일로 좋은 날이라 생각해서 결혼식과 파티를 많이 한다.

12월 25일 크리스마스는 최근에 모두 즐긴다.

일반주택 까사의 정원

쿠바의 민박 까사 Casa

까사 표시가 있는 아파트 603호
(우리가 묵은 603호는 서울 우리 아파트 호수와 동일 했다)

아바나 까사 주인

아바나 까사 방

까사의 아침 식사. 한 사람당 5CUC

산티아고 데 쿠바 일반 주택 까사

산타클라라 일반 주택 호스텔

산타클라라 일반 주택 호스텔 실외 식탁

산타클라라 일반 주택 호스텔 방 앞 의자

이상한 나무

쿠바의 다양한
이동 수단

꼬꼬Coco 택시

이동 수단들

10인용 승합차

시내버스

협동조합의 예술 작품

개방된 쿠바는 현재 많은 협동조합을?

쿠바는 사회주의가 아니라, 생태 사회주의다.

시장 경제와 자본주의 경제에는 차이가 있다.

시장 경제의 특징은 역사와 함께한다는 것이고, 살아가는 사람들이 필요해서 하는 것이고, 함께 벌어 함께 나누어서 함께 잘 살자는 것이다.

반면에 자본주의 경제는 개인의 이익을 위해서 모든 수단과 방법을 이용해서 남의 것을 먹는 것이다. 그래서 협동조합은 공동 이익을 추구하자는 것으로 시장 경제에는 위배되지 않으나 자본주의에는 위배되지만, 관심 있는 사람들의 모임으로, 살아가는 사람들이 필요하면 만드는 것이다.

이러한 면에서 볼 때 다양한 협동조합이 생겨나 우리도 모두 함께 잘 사는 사회로 변화되기를 기대해 본다.

쿠바는 라울 까스뜨로 때부터 비농업 협동조합이 시작되었고, 새로운 협동조합은 젊은이들이 많이 참여하고 있으며, 기존 정부에서 넘어와서 하게 되는 협동조합에는 나이 많은 사람들도 많다고 한다.

스테인드글라스 협동조합

젊은이 3명이 하고 있는 비농업 협동조합으로 3년간의 역사를 가졌다. 민주적 의사 결정으로 협동조합을 만들기에는 3명이 아주 적합하단다.

비농업 협동조합에는 개인이 자발적으로 하는 것과 국가에서 관리하는 두 가지가 있고, 사회적 기여와 지역 사회 기여가 가능하다.

정부에서 관리하던 것을 3명의 여성의 협동조합에서 관리하니까 품질은 좋아지고, 이익도 있어서 인기가 좋으며, 지금의 공간은 도시 역사학자가 무상으로 빌려준 것이란다. 출자금은 도시 역사 지원 센터에서 지원하였고, 상징적으로 개인이 2달러씩 출자했다. 3년 해 보니, 일거리가 끊이지 않고 일 년 내내 하게 되었다.

처음에는 개인에게 커미션을 주면서 일거리를 빼앗겨 힘들었다. 프라도 거리에 있는 프랑스어 학교가 개인에게 일을 맡겼다가 하자가 생기면서, 이곳 협동조합으로 수리 의뢰가 되어 협동조합의 능력을 인정받게 되었다. 학교에서 이러한 조합을 하겠다고 신청해서 허가를 받아 시작하며, 5년간 중소 협동조합을 하다가 계속할 것인지에 대한 평가는 정부에서 사회적 기여도가 높은지에 따라 결정한다.

쿠바 정부에서 허가해 주는 협동조합은 개인 일거리, 외국 일거리, 정부 일거리를 개인보다 우선해서 받는 혜택이 있으며, 월 수익의 10%는 세금, 5%는 지역 사회 개발금을 내고, 다음 해를 위해서 30%를 적립하고, 나머지를 나누어 가진다고 했다. 스테인드글라스 재료는 전적으로 수입에 의존하며, 정부를 통해서 들어온다고 한다.

스테인드글라스 협동조합 (조합원은 왼쪽 3명, 통역, 인솔자)

스테인드글라스 협동조합의 형성 과정

스테인드글라스는 개인 주택일 경우 일거리가 한 개뿐이어서 수익성이 없어, 작품을 만들어 판매하기도 한다. 지역에 이익의 5%를 내지만, 지역에 재능 기부로 학생들에게 가르쳐 주고, 워크숍으로 학교에 기부도 하여, 아름다운 환경이 만들어지고 학교 교사에게도 교육이 된다.

사회적 기여에 가치가 있기에 협동조합의 일을 하며, 생존을 위해서 돈을 벌지만, 함께 일하고, 나누고 싶어서 협동 일을 하며, 이것을 사회적이라고 생각한다는 데서 많은 감동을 주었다.

전체적인 스테인드글라스 작업실 전경

구 아바나 골목길

학교 밖 요리 학교 협동조합 입구

학교 밖 요리 학교 협동조합

공동체에서 일하며 청소년 문제를 고민하다가 이를 해결하기 위해 시작한 것이 쿠바 리브레Cuba Libre라고 한다. 쿠바 리브레는 골목의 아이들 위한 기술 학교이다.

노란옷, 흰옷 입은 두 분이 요리 학교의 전반적인 설명을 하는 중이다

서빙, 바리스타, 요리 등 각 분야 적성에 맞는 것을 2년 과정의 교육을 통해서 배운다. 그리고는 모두 레스토랑과 직접 연결하여 취업을 시키는 협동조합이다.

무상 교육이지만, 대학 가지 않고 요리 학교로 온 학생들

왜?

무상 교육인데도 학교에 가지 않고 이곳으로 오는지 궁금해서 한 여학생에게 질문했다. 주저하지 않고 임신을 해서 대학 진학을 못 했다고 하였다. 그 외 공부가 하기 싫어서, 여러 가지 문제를 일으켜 오는 학생들이라고 하였다. 그러나 본인이 대학을 안 가는 것이기에 부모나 사회를 원망하지 않고, 공부하고 싶으면 나중에라도 다시 할 수 있다고 하였다.

출자금은 한 달에 2달러. 자체적으로 해결하고, 730명의 수업료는 학생들이 배치되는 레스토랑에서 주는 수수료와 학생들이 실습하면서 만든 음식을 우리처럼 답사 오는 사람들에게 제공하여 받은 식사비로 유지되고 있었다.

한 학생이 〈모히또〉 만드는 것을 보여 주었다

〈모히또〉 시범을 보이는 것을 강사가 설명해 주었다

모히또 만드는 법을 실제로 해 보았다. 모히또Mojito는 멕시코 술로, 사탕수수즙이나 당밀을 발효해서 숙성시켜 만든 증류수인 럼주에다가 레몬즙, 물, 설탕, 민트 잎을 넣어 만든 칵테일이다. 쿠바의 대표적인 럼주 브랜드는 〈아바나 클럽〉이다.

〈모히또 만드는 법〉

설탕 + 레몬과 라임즙 + 페퍼민트 줄기만 짓이긴다. 여기에 탄산수 + 럼 40도를 큰 잔 1, 작은 잔 1/2 넣는다.

럼 잔은 위아래로 큰 잔과 작은 잔이 붙어 있었는데, 큰 잔에 럼을 가득 채워 붓고, 잔을 아래위로 휙 돌려 작은 잔에 1/2 채워서 붓는데, 이 럼 잔을 돌리는 것이 예술이다.

학생들과 함께 만든 요리

식사 파티로 즐거운 한 끼

모히또로 건배

마무리 인사

농장의 모습

〈노인 아이 돌봄 센터〉 협동조합 입구

노인 아이 돌봄 센터 협동조합

〈노인 아이 돌봄 센터〉에 대한 전반적인 설명을 듣는 중

5명의 직원이 돌봄 센터를 하고 있으며, 어르신의 평균 연령은 83세로 50여 명가량 된다고 하였다. 학생들은 시니어 센터에 1주일에 한두 번 오고, 학교 행사 시 어르신들이 학교로 가기도 한다고 했다.

어른들과 아이들과 함께하는 게임들

퍼즐과 게임을 통해 어른의 소중함과 삶의 가치를 알게 해 주고, 어른들이 살아온 삶의 다양한 이야기를 들려주기도 하고, 아이들의 이야기를 들어주기도 하면서, 국가관, 세계관으로 서로 소통한다는 것이다.

98세 노인이 힘찬 목소리로 부르시는 독창 (쿠바의 정신이 깃든 노래)

어르신에게 배운 쿠바 정신이 깃든 노래를 하는 아이들

갑자기 일어나 우렁차게 노래하시는 어르신

쿠바의 혁명 정신이 담긴 노래를 힘 있게 부르신다. 이러한 노래를 들으면서 자라는 어린이는 저절로 쿠바의 정신을 배우게 될 것이다. 이렇게 하나의 공동체가 되는 것이구나!

세대 간의 교류가 중요하다.

어른들의 노래를 아이들이 기억해서 부른다.

또한, 아이들이 센터에서의 활동 모습 그대로 집에서 생활하기 때문에 교육과 나라 사랑하는 마음에 아주 중요한 시간들이 된다고 하였다.

102세 어르신이 부채를 만들어서 아이들에게 가르쳐 주고, 콜롬비아 아이들과 영상 통화도 하고, 예술가들을 불러서 배우게도 하고, 해외 예술가들이 아이와 노인들이 함께하는 행사를 개최해 주기도 한다.

또한, 정부 지원 파티를 자주 하려고 노력한다. 다양한 사람을 만날 수 있게 해 주며, 우리 일행도 이들에게는 오늘의 즐거움이라고 하였다.

100세 노인들의 힘찬 노래에는 피델과 체의 혁명 정신이 살아있는 것 같았다. 우리나라와 달리 남자 어르신들이 절반 정도 되었다. 어디에서나 남녀노소를 불문하고, 흥겨운 쿠바 음악에 흥얼거리며 춤추는 것이 장수의 비결이라 생각되었다. 표정 역시 생기가 있어 보였다.

또한, 92살 된 어르신이 집에서 1㎞를 걸어서 오고 가시어 동료들에게 힘이 되고 있으며, 어르신들은 모두 다 교육을 받은 분들이어선지 뉴스도 보시고, 맨손체조도 하신다고 했다.

우리 일행도 답가로 아리랑을 부르고, 일행 중 작곡을 공부하고 있는 대학생이 힙합 노래를 불러 분위기를 한층 즐겁게 했다.

마지막으로, 조합을 운영하시는 분들이 더 발전되고 깨끗한 이곳을 만들기 위해, 즐겁게 놀고 배우고 갈 수 있도록 프로그램 준비에 많이 노력하고 있다고 강조했다.

아이들과 함께

일부 어른들과 직원들과도 함께

농장에서 일하는 자신들의 모습을 표현

도자기 예술 학교 협동조합

도자기 예술 학교 소개
스페인어에서 영어로, 다시 한국어로 통역을 진지하게 ~

사탕수수sugar cane 농장은 개인 소유가 아니고, 국가 소유로 〈도자기 예술 학교〉이기도 하다. 주인은 25년 전 처음으로 세라믹 도자기 공장을 설치하고, 꿈을 이룬 사람으로 아주 행복하단다.

도자기 예술 학교의 레스토랑 건물

레스토랑 건물 안 준비된 식탁

섬세하고 수학적으로 짜인
건물 안에서 본 천장

일하는 사람이 18명으로 전형적인 쿠바의 가정 요리가 준비되어 있었으며, 밥 위에 부어 먹는 팥죽과 바나나 튀긴 것은 먹을 만했다.

옆 건물에 있는 또 하나의 작은 레스토랑

망고, 바나나, 검은콩, 옥수수, 감자, 호박 등도 재배하고, 꿀도 따며, 커피나무도 키운다. 소 4마리로 우유와 치즈를 생산해 가족과 방문자를 위해 사용한다. 재배된 것을 판매는 하지 않고 자급자족하며, 방문하는 사람들의 식사비로 유지되고 있었다.

10년간 농장을 하고 나서, 나라에서 확인해서 10년 더 하라고 해서 지금까지 30년째 하고 있단다. 자식에게 물려줄 수는 없고, 자식이 일을 해서 잘한다고 인정받으면 국가에서 10년 더하게 할 것이라고 한다.

농업 자체가 먹거리만을 위한 것이 아니라, 창조적인 일이라 행복하다고 했다. 또한, 도자기와 농장은 별개가 아니라 예술적이고, 창조적인 일로서 연관이 있다고 했다. 동적인 농장일과 정적인 도자기 작업은 심신의 건강에 아주 좋을 것이라는 생각이 들었다.

하고 싶은 것을 열심히 하고 있다

작품을 리모델링하고 있다

화장실 알림도 〈도자기 예술 학교〉다웠다

막대기 같은 사탕수수에서 즙이 나온다

미국산 고물 자동차 택시 협동조합

신 나게 설명하시는 어르신

최선을 다해 아름답게 튼튼하게 재창조되고 있다

새롭게 리모델링해서 전시한 중고차를 구경했다

길거리를 누비는 쿠바의 특유의 올드 카들

혁명 광장에도 줄 서 있는 올드 카

쿠바의 협동조합은 우리나라 협동조합과는 많은 차이가 있었다. 우리나라는 회의와 제도와 규칙이 너무 많다. 부정과 부패가 심해서 그것을 예방하려는 방법이라 생각된다. 그렇게 서로 신뢰하지 못하고 개인의 이익만을 취하려고 하는 문제에서 벗어나는 것이 먼저라는 생각이 들었다.

쿠바는 민주적인 의사 결정으로 서로를 신뢰하고 솔직하여 제도가 복잡하지 않았다. 3명만 모여서 하고자 하는 의욕이 있고, 국가의 허가만 받으면 협동조합이 가능한 것이다.

이 책을 쓰는 이유도 우리나라가 경제적인 것뿐만 아니라, 정신적인 면에서도 좀 더 선진국 대열에 들어갈 수 있기를 간절히 바라는 마음에서다.

우리나라 사람들은 스스로는 다 잘난 사람이라 생각하고 나만, 우리 가족만 잘살면 된다고 생각한다.

그러나 그것은 결코 잘난 것도, 잘 사는 것도 아니다. 함께 더불어 좋은 환경과 사회와 문화 속에서 살아가야만 잘 사는 것임을 우리는 의식하지 못하고 있다.

나도 그렇게 살아왔으니까–

이제 미래의 우리 아이들을 위해서는 우리가 모두 한 공동체라는 생각으로, 함께 더불어 제대로 자~알 살아갈 때가 되었다고 생각된다.

헤밍웨이Ernest Hemingway (1899~1961)

1899년 7월 21일 미국 출생의 대문호이며, 소설가, 신문 기자로, 1928년 쿠바에 낚시 여행을 왔다가 28년간 살게 되었다.

《노인과 바다》 외 《가진 자와 못 가진 자》, 《무기여 잘 있거라》, 《누구를 위하여 종은 울리나》등으로 1953년 퓰리처상, 1954년 노벨 문학상을 받았다.

그러나 1960년 미국으로 추방당한 후, 1961년 7월 미국 아이다호에서 심한 우울증과 지병에 시달리다가 62세에 엽총 자살로 생을 마감했다.

헤밍웨이가 1940년부터 1960년까지 20년간 살던 집은 〈전망 좋은 목장〉이라는 뜻으로 Finca Vigia로 불리며, 1961년 헤밍웨이 박물관Museo Ernest Hemingway으로 지정되어 있다.

잘~ 생긴 헤밍웨이

라 폴로리디따La Floridita는 헤밍웨이가 쿠바 술 다이끼리Daiquiri를
즐겨 마셨던 단골 술집

아바나 오비스뽀 거리가 시작되는 라 플로리디따 레스토랑에는
2003년에 만든 헤밍웨이 동상이 있다

레스토랑 실내는 만원으로 앉을 자리도 없었다

글 잘 쓰는 기운을 받으려고 헤밍웨이의 손을 잡고, 사진만 찍고 나왔다

1931년 문을 연 아바나 비에하에서 가장 역사 깊은 암보스 문도스 호텔은 헤밍웨이의 7년 숙소로《누구를 위하여 종은 울리나》를 집필한 작업실이다.

암보스 문도스Ambos Mundos 호텔

호텔 외부의 행위 예술 퍼포먼스

헤밍웨이 방에 가려고 호텔 로비 엘리베이터 앞에는 사람들이 줄을 서 있다

헤밍웨이가 7년 묵었던
511호 안내 방향 표시판

511호 앞에는 소파가 있다

헤밍웨이가 7년을 묵었던 511호 객실 문

쿠바 돈 2CUC(2,500원) 주고 들어간 511호

사용하던 타자기와 고기 잡은 사진

1950년, 아바나 비에하에 있는 쿠바의 전형적인 레스토랑에서 헤밍웨이는 모히또Mojito를 즐겼다.

보데기따에는 〈My mojito in Bodeguita, My daiquiri in Floridita(나의 모히또는 보데기따, 나의 다이끼리는 플로리디따에서)〉라는, 헤밍웨이가 쓴 문구가 있다.

1954년, 마지막으로 헤밍웨이는 《노인과 바다》를 집필했다. 《노인과 바다》는 아바나 근처, 자동차로 30분 걸리는 어촌 꼬히마르에서 영감을 얻어 자신에게 주어진 불운과 고난과 역경에 맞서 이겨낸 인간 정신의 승리를 그려낸 소설이다.

라 보데기따 델 메디오La Bodeguita del Medio

《노인과 바다》의 배경인 꼬히마르Cojimar

꼬히마르는 〈전망 좋은 곳〉이란 의미의 작은 어촌

〈85일 만에 잡은 물고기를 배에 매달고 오다가 상어 떼의 습격을 받아, 뼈만 앙상하게 남은 잔해를 끌고 집에 돌아온 노인이 다시금 젊음을 꿈꾼다〉는 내용으로, 헤밍웨이 자신도 〈지금 내 능력으로 쓸 수 있는 가장 훌륭한 글〉이라고 언급했다고 한다.

꼬히마르 전망대 앞에 있는 헤밍웨이의 흉상

꼬히마르 전망대

전망대에는 〈못 해낼 과업은 없다〉는 체의 글과 함께
피델과 체의 얼굴이 그려져 있다

조용하고 한가롭고 여유로운 마을이다. 바닷바람이 많이 분다.
헤밍웨이 숨결이 들린다

라 떼라사La Terraza

꼬히마르에서 헤밍웨이가 즐겨 찾던 레스토랑

역시 관광객이 많은 〈라 떼라사〉 레스토랑 내부

라 떼라사 레스토랑 주차장에도 바다가 보인다

라 떼라사 레스토랑에는 2002년 102세로 사망한
《노인과 바다》 실제 모델 푸엔떼스 사진이 걸려 있다

꼬히마르에서 보이는 마을로, 20만 명이 평등한 삶을 살고 있다. 계급도 없고, 부유도 없는 Bed town으로 조성된 마을로, 아바나에서 일하고, 자러만 온다. 전문가들에게 월급을 주어 오게 해서 형성된 곳이라고 한다.

꼬히마르 전망대에서 보이는 알라마르 베드타운

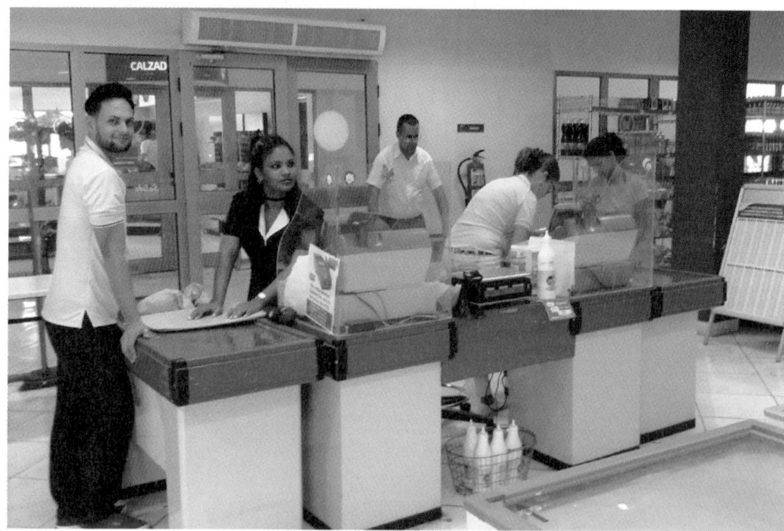

알라마르 베드타운 슈퍼마켓

텅 빈 슈퍼마켓

꽉 차 있는 것이라고는 ~

아바나 시내에서도 보지 못한 슈퍼마켓이었으나 물건은 별로 없었다

바라데로 가는 길

외국인 전용 해변 바라데로Varadero

미국인이 휴가를 하와이로 간다면, 중국인은 '하이난'이요, 캐나다인은 쿠바 아바나에서 자동차로 3시간 걸리는 '바라데로'이다. 카리브해를 마주하고 있는 바라데로의 에메랄드빛 바다는 쿠바에서 제일 인기가 있는 관광지로, 외국인 전용 해변으로 지정되어 있다.

온종일 카리브해의 평화로움, 여유로움, 100m의 모래사장을 마주 보면서, 새롭고 다양한 삶을 느껴 본다.

바라데로 마리아나 호텔 빌리지 입구

바라데로 마리아나 호텔 빌리지 로비

바다가 보이는 호텔

바라데로 마리아나 호텔은 욕조에 누워서도 바다가 보인다. 호텔비가 1박에 405CUC(52만 원)으로 비싸서인지 호텔에 있는 술과 음료와 스낵은 전부 무료다.

1층 로비 바, 지하 댄스장, 호텔 밖 회의장, 호텔 밖 스낵 바 등 어디에서나 먹을 수 있다. 호텔 방에도 맥주 4캔, 음료수 4캔이 매일 채워진다.

2013년, 직원 1,000명, 고객이 2,000명인 태평양 크루즈에서는 술과 음료를 위해 기본 100달러를 방 카드에 입력해 주고, 그 이상부터는 돈을 지불해야 했었는데, 거기에 비하면 바라데로 마리아나 호텔은 술꾼에게는 파라다이스다.

술과 음료수를 마음대로 마실 수 있는 호텔 로비 바

호텔 CADECA 환전소(한 명씩만 들어간다)

저녁을 먹고 나서 로비를 지나가다가 검은 물체가 갑자기 움직여서 깜짝 놀랐다. 다음 날은 흰옷의 허수아비들이 ~

호텔 로비에서의 행위 예술

흰옷의 사람 허수아비들이

호텔 수영장

호텔 빌리지에서 멀리 바다가 보인다

마리아나 호텔 멀리에는 계속 호텔을 짓고 있다

해변으로 가는 길

빌리지 해변가

바라데로 해변에서 대서양을 바라보며

카리브 해안의 바다는 살아있었다.

쉬지 않고 요동을 친다. 수평선은 180도로 길면서, 멀리 진한 색으로 보이던 바다가 모래 가까이 와서는 흐려진다.

호주의 골드코스트는 좌우로 파도가 치기 때문에 윈드 서핑하기에 아주 좋다. 이곳 카리브 해안은 뒤에서 앞으로 파도가 치니까 멀리 밀려갈 이유가 없어서 헤엄치기가 좋았다. 일부러 걸어 들어가서 헤엄을 치면 해변으로 나오게 된다. 처얼썩 처얼썩 한 박자 쉬고, 다시 처얼썩 처얼썩 바다는 말을 하고 있다.

카리브해의 살랑거리는 바람을 느끼며, 조용하고, 평화롭고, 여유롭고, 자유롭다. 네 번째 천국의 느낌이다.

하와이에서 와이키키의 반짝이는 해변이 보이던 25층 호텔 방으로 들어오는 두 마리의 새를 보았을 때가 첫 번째요, 호주 골드코스트의 밀려오는 바다 안갯속을 거닐 때가 두 번째요, 2,000명의 승객을 태운 크루즈 배가 동서남북으로 수평선만 보이는 태평양을 유유히 떠가고 있을 때가 세 번째요, 조용한 가운데 파도소리와 부드러운 바람에 기대어 포근함이 느껴지는 쿠바의 바라데로 해변에 머무는 지금이 네 번째다.

하와이에서 마사지를 25만 원으로 예약했다가 너무 비싸 겁이 나서 취소했는데, 안 해 본 것이 두고두고 후회되어, 세계적인 마사지를 경험해 보려고 이번에는 눈 딱 감고 해 보리라 생각했다.

예약하고 시간에 맞추어 갔다. Hand push massage 80분 106CUC(13만 원)짜리를 했는데 살에다가 기름만 발랐다가 물수건으로 닦아 주기만 한다. 기분이 찝찝하여 다음 날은 Acupressure massage 68CUC(9만 원), 손톱으로 하는 마사지를 해 보았다. 손톱으로 눌러서 멍만 많이 들었다. 이렇게 해 본 결과 비싼 마사지는 이번으로 끝내야겠다고 마음먹었다.

나이가 들면서 하지 않는 것이 하나하나 많아지고 있다.

예전에 일본 디즈니랜드 가 본 후 절대로 디즈니랜드는 안 간다. 그 뒤로 헬리콥터 타는 것도, 뮤지컬 보는 것도 다 끊었다. 이젠 별로 즐겁지 않고, 나에게 도움이 되지 않는다고 생각하는 것은 하지 않는다. 이제 비싼 해외 마사지도 끝이다. 단 동남아의 싼 마사지는 계속하겠지만…

역시 현금 35만 원에 11번으로, 한 번에 3만 원 정도 하는 우리 동네 아저씨 마사지가 최고다. 하고 나면 몸도 이완되어 가벼워지고 잠도 잘 온다.

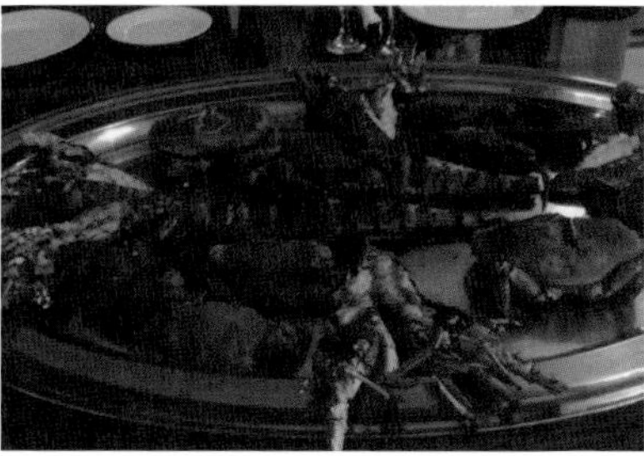

바라데로 마지막 밤 파티를 했다(주문 지불)

바라데로를 떠나면서 여행의 중간 평가를 나누었다

춤과 음악의 나라답게 기타를 들고 있는 길거리 동상

아바나 센뜨로 Centro & 비에하 Vieja

유럽풍 건물로 된 구 아바나는 모두 국가 소유여서 관리가 제대로 안 되어 할렘가로 되어 가고 있다.

구 아바나

HARRY

그러나 도로는 직선이며, 건물들이 겉으로 보기에 입구 문은 작으나 안으로 들어가면 넓다.

일부 수리하는 곳도 눈에 띄었다

멀리 보이는 까삐똘리오(국회의사당)

대극장(국회의사당 바로 옆)

잉글리시 호텔(대극장 바로 옆)
1895년 윈스턴 처칠이 장기 투숙한 곳

쿠바 혁명과 역사와 문화의 본거지로, 쿠바는 레닌, 마르크스보다 사상적 지주인 호세 마르띠에게 영감을 얻고 있다. 호세는 쿠바인으로 스페인에 대항해서 순국한 애국지사다.

호세 마르띠 기념탑과 기념관 Memorial & Museo Jose Marti

센뜨로 아바나 중앙공원에 있는 호세 마르띠 동상

혁명 광장Plaza de la Revolucion

혁명 광장에는 피델 까스뜨로가 가장 존경하는 두 사람의 형상이 있다. 내무부성 건물 체의 형상엔 Hasta la victoria siempre!(영원한 승리의 그날까지!)가,

통신부 건물 까밀로 씨엔푸에고스(1932~1959) 형상엔
Vamos bien Fidel?(피델 잘 있지?)라고!

혁명 광장의 체 게바라 형상

혁명 광장의 까밀로 씨엔푸에고스 형상
쿠바의 혁명가이자 군인, 정치가, 20CUP 속의 인물

혁명 박물관Museo de la Revolucion

혁명 박물관에서 밖을 보며

혁명 박물관 내부

A LOS HEROES DE LA PATRIA NUEVA

RILOGIA DE LA REVOLUCION CUBANA
HOMENAJE A LOS COMANDANTES
FIDEL CASTRO, CAMILO CIENFUEGOS
Y ERNESTO " CHE " GUEVARA
OBRA DEL MAESTRO OSCAR RAMIREZ QUINTERO
" MARGOSK "
MAQUETA QUE FORMA PARTE DEL CONJUNTO ESCULTORICO MONUMENTAL
IMPULSADO POR EL DR. HIGINIO MARTINEZ MIRANDA
JULIO DEL 2010

FEU
FIDEL

박물관 밖 전시된 탱크

아바나 국립 미술관

전시 작품

전시 작품

전시 작품

542

아르마스 광장Plaza de Armas

쿠바 역사의 흔적인 헌책방

비에하 광장Plaza de Vieja

노천 까페 라이브 바, 레스토랑

오비스뽀 거리

길거리를 내다보시는 쿠바 할머니

아바나 베다도Vedado 지역 〈신시가지〉

낭만 가득한 8㎞의 산책 장소로, 원형 교차로에서는 매주 일요일에 밴드 연주를 한다. 일몰 때 카리브 해안의 노을이 아름다워 아바나 사람들의 명소이다.

말레꼰Malecon

나씨오날 호텔

80년의 전통을 가진 나씨오날 호텔은 말레꼰이 내려다보이며, 혁명 당시 체와 피델의 지휘 본부였다.

나씨오날 호텔 로비를 지나 말레꼰이 보이는 야외 테이블에 앉아 모히또나 다이끼리(5CUC), 맥주(3CUC)를 마시며 많은 사람이 즐긴다.

나씨오날 호텔 〈부에나 비스타〉
소셜 클럽 공연장 1930

나씨오날 호텔 로비 밖 오른쪽에 〈부에나 비스타〉 소셜 클럽 공연장이 있다. 쿠바 SON 음악의 역사를 자랑하는, 쿠바 최고의 클럽이다.

저녁 8시(25CUC)에 보려고 3시부터 예약해 놓고, 호텔 1층 레스토랑에서 그릴 랑고스타(바닷가재, 새우, 생선)를 sin sal(소금 빼고) 해서 맛있게 먹고, 말레꼰이 보이는 야외에서 맥주를 마시며 기다리다가 지쳐서 포기하고 아쉽지만, 그냥 돌아왔다. 다시 갈 수 있을까?

오 마이 갓!

12월 말에 남편이 원하는 칠레를 가기 위해 남미 패키지여행을 가려는데, 우연하게도 쿠바 〈부에나 비스타〉 소셜 클럽 공연장에 가는 것이 포함되어 있다. 무엇이나 정성으로 원하면 되는구나 생각되었다.

아바나 리브레 호텔(공연장 10CUC)

리브레 호텔 로비

아바나 대학교

1728년 아메리카 대륙에 세워진 첫 번째 대학교로 의과 대학은 없고, 라틴 아메리카 의과 대학이 외곽에 있다.

지혜의 여신상인 알마 마떼르 Alma Mater 흉상이 반긴다

아바나 대학교 Universidad de La Habana

아멜 아프리카 거리Callejon de Hamel

Si vienes buscando batalla
yo soy la batalla
Si vienes buscando amor
yo soy el amor
No camino con nadie porque
tengo mi propio camino
Tengo de negro,
tengo de blanco,
tengo de chino,
No tengo nada
porque nada soy
No camino con nadie
tengo mi propio camino
y ya tengo mi amigo

예술혼이 가득한 쿠바 속의 〈아프리카〉 아멜 거리는 사회주의 국가에서 유일하게 표현의 자유가 허락된 곳이다.

아멜 거리는 아프리카 특유의 토속 신당들도 있고, 중남미 문화의 뿌리가 살아있다.

la verdadera palabra.
DESPUES DE MUERTO
NO QUIERO NI DISCULPAS
NI REGALOS.
Vengo de
una realidad oculta
a una realidad abierta
para que me
conozcas.
EL PEZ NO SABE
QUE EXISTE EL
AGUA
TODO PUEBLO QUE SE
NIEGUE A SI MISMO
ESTA EN TRANCE DE
SUICIDIO. Dr Fernando Ortiz
SI MALO ES REGALARSE

매 일요일 이른 오후에 이벤트가 열리는 아멜 거리에는 많은 사람이 북적거린다.

베다도 공예품 시장
리브레 호텔 근처 다양한 종류의 가죽 가방 등을 파는 곳

Yo soy Fidel 제가 피델입니다.

산티아고 데 쿠바 Santiago de Cuba

산티아고 데 쿠바로 가는 국내선도 기다림이다.

아바나 1 터미널에서 산티아고 데 쿠바로 가는 국내선을 타려고 기다리는데, 3시 40분 비행기가 7시로 연기되더니, 다시 9시로 연기되었다가 아예 공항 출발 비행기 화면에 뜨지도 않는다. 알 수가 없다. 갈 수는 있으려나.

보딩을 하지도 않고, 보딩 중이라 하더니 소식이 없다. 그래도 이 나라 사람들은 조용히 기다린다. 역시 기다림이 국민 스포츠인 나라답다.

3년 전 터키는 가방이 도착을 안 해서 애를 먹이더니, 쿠바는 비행기가 뜨지를 않아서 애를 먹인다. 그러나 이렇게 공항에 있는 것도 여행이고, 경험이고, 기다림의 연습에 수양이다. 그래도 아바나 레스토랑에서 배운 살사춤이라도 알고 가니까 다행이고, 이것도 남들이 해 보지 않은 경험이니까 재미도 있다. 건강에 무리만 가지 않는다면 말이다.

비바람이 몰아치는 산티아고 데 쿠바 날씨로 인해서 결항하고 지연되었지만, 우리는 늦게라도 탈 수 있어서 다행이었다. 나중에 알고 보니 옆의 도시로 간 비행기도 있었다고 한다. 인천에서 출발도 못 할 것 같다가 출발하고, 다른 지역으로 갈 것 같다가도 제대로 가는 것을 보면 여행의 운은 따라주었다.

산티아고 데 쿠바

쿠바에서 두 번째로 큰 도시이자 인구 규모 면에서도 두 번째로 큰 도시이다. 1515년에 건설된 산티아고 데 쿠바는 16세기 전반까지 오랫동안 식민지 쿠바의 수도였다. 19세기 말에는 아메리카–에스파냐 전쟁의 마지막 전투가 벌어졌던 곳으로, 쿠바 혁명의 발원지이자 피델 까스뜨로가 주로 활동하던 곳이다.

산티아고 데 쿠바 성지 엘 꼬브레El Cobre (자비의 성모님)

산티아고 데 쿠바에는 쿠바의 성모이자 상징인 자비Mercy의 성모님이 나타나 쿠바의 주요 성지가 되었다. 쿠바의 성지 El Cobre 성당에는 성모님이

예수님 위에 위치한 모습이 아주 특이했으며, 그런 모습은 처음 보았다. 자비의 성모님께 항상 소망하는 것에 대해 자비를 베풀어 주십사, 기도했다.

호세 마르띠JOSE MARTI (1853~1895)가 잠든 곳

쿠바인으로 스페인에 대항해서 싸운 영웅 호세의 기념탑과 기념관은 아바나에 있다.

혁명가, 교수, 시인, 수필가, 기자, 19세기 사상가로, 1페소 지폐에 사진이 있고, 아바나 국제공항의 이름이며, 오비스또 거리 초등학교 이름이기도 하다. 호세는 인종주의를 반인륜 행위로 규정하고, 유색인의 권리를 백인과 동등하게 제도적으로 보장하는 데 크게 이바지했다.

관따나메라Guantanamera는 호세가 쓴 세 편의 시에서 한 구절씩 따온 것으로, 쿠바인의 애환과 눈물이 녹아 있는 쿠바의 민요이다. 관따나메라는 관따나모 출신의 시골소녀를 뜻한다.

관따나메라 과히라 관따나메라 / 관따나모의 농사짓는 아낙네여
나는 종려나무 고장에서 자라난 / 순박하고 성실한 사람이랍니다.

내가 죽기 전에 내 영혼의 시를 여기에 / 사랑하는 사람들에게 바치고 싶습니다.
내 시 구절들은 연둣빛이지만 / 늘 정열에 활활 타고 있는 진홍색이랍니다.

나의 시는 상처를 입고 산에서 은신처를 찾는 / 새끼 사슴과 같습니다.

〈애국심은 인민이다(Patria es Humanidad)〉
– 호세 마르띠 묘에 적혀 있는 글

미국을 등에 업고 독재 정치를 한 바티스타 정권에 혁명으로 대항한 피델이다.

피델 까스뜨로 Fidel Castro (1927~2016)
영원한 승리의 그 날까지!

혁명지에는 쿠바 국기와 혁명의 깃발이 휘날린다

몬따냐 혁명 준비를 위해 양계장으로 위장한 곳

스페인에 대항해서 싸운 이가 호세 마르띠이며, 미국을 등에 업은 바티스타 정권에 대항해서 피델이 혁명을 일으킨 것이다. 1952년 3월 10일. 피델이 이제는 바티스타 정권을 그냥 둘 수 없다고 생각하여 공격을 결정하고, 이곳에서 젊은이들의 군사 훈련을 했다. 피델이 닭 농장으로 계약한 문서도 있으며, 공격 전날인 7월 25일까지 작성한 가계부도 있었다.

닭을 키우는 곳으로 위장하여, 혁명 준비를 하였고, 차량도 차 지붕에 깃발, 군복 등을 숨길 수 있도록 위장했다. 군복은 평상복과 동일한 것으로 했다.

7월 25일 산티아고에서 카니발이 열리는 것을 이용하여, 26일 새벽 4시에 공격을 했다. 공격 전 피델이 마지막에 참여하고 싶지 않으면 뒷문으로 나가라고 했더니 10명이 나갔는데 잡지 않고 보내 주었다고 한다.

피델, 라울, 아벨 산타마리아 세 명이 함께 공격했다. 129명 중 10명이 떠나고, 53명이 죽고, 잡히고, 마지막 19명이 남아 산으로 도망갔다가 잡혀서 15년간 감옥살이를 하고 멕시코로 망명했다.

바티스타 정권은 피델을 잡을 때 죽이라 했으나 죽이지 않은 정부 군인은 후에 피델 정부에서 내무부 장관이 되었다. 감옥에서 피델은'역사가 나를 평가하리라'라고 말했다. 민족주의자, 인권 변호사, 정치인으로서 피델의 철학은 호세 마르티의 사상에서 출발했다.

강제성과 자발성에서 나오는 힘의 차이를 누구보다 잘 알아, 자발적인 열정으로 정부를 협의와 합의로 운영한 피델은 미래형 인간이 아니라, 미래 인간이었다.

세상의 모든 지식에 재미와 의의를 느꼈고, 모든 악의 근원은 무지에서 나온다는 불교적인 생각도 가지고 있었으며, 의식주보다 중요한 것은 가치관이고, 그 가치관 또한 지식과 문화에서 형성되며, 자기 인생의 원동력은 권력도, 명예도, 돈도 아닌 아이디어라고 강조하면서, 피델은 무상 교육, 무상 의료 복지 정책을 시행했다. 또한, 한 사회의 문화와 체질을 개선하고 진화시키는 지도자로서, 쿠바가 살려면 변해야 한다고 했다.

쿠바를 공부하면서 피델의 사상에 존경심이 생겼다. 나도 살아있는 동안 꾸준히 공부하여, 새로운 아이디어를 원동력으로 힘을 가져야겠다.

〈피델 감사합니다〉라고 건물에 적혀 있다

혁명가와는 거리가 먼 고운 노인으로서의 피델 모습

혁명 광장

호세 마르띠가 잠든 곳에, 2016년 12월 12일 피델 잠들다.

피델 까스뜨로Fidel Castro의 묘

피델 묘 옆에는 혁명 용사들의 묘가 있다

예술 작품 전시장 같은 공동묘지

A.
AGUSTIN
PEREZ
LOPEZ

LAS FLORES DE LA VIDA

산티아고 데 쿠바 중심 거리

산티아고 공원에서 게임을 하는 젊은이들

산티아고 시장 (길거리의 장사는 개인 소유)

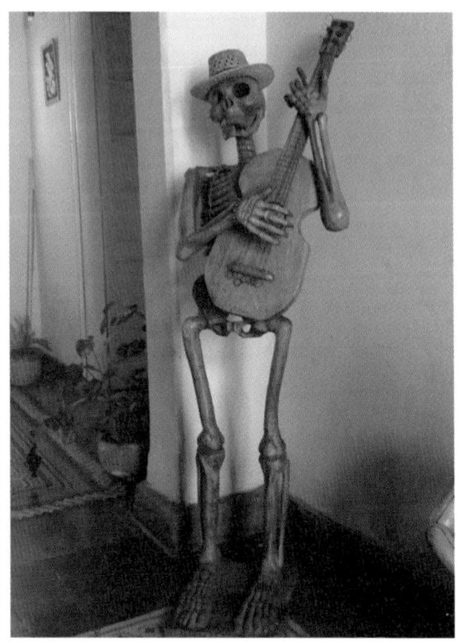

쿠바의 나무 인형과 악기들

Che Guevara의 위엄

산타클라라 Santa Clara

Che의 혁명과 불꽃이 잠든 도시이자 다섯 번째로 큰 도시

체 게바라의 기운이 흐르는 도시

산티아고에서 저녁 8시에 비아술via Azul 버스를 타고, 12시간 걸려서 산타클라라에 도착했다. 아바나에서 오면 3시간 30분이다.

저녁 8시부터 다음날 아침 8시까지 몸부림을 치며 탄 비아술Via Azul 버스

산타클라라 도착

산타클라라 시 정부

책방

스마트한 체 게바라Che Guevara(1928~1967)

1928년 6월 14일 아르헨티나 로사리오의 부유한 집안 출생으로, 부에노스아이레스 의대 박사이자 의사이다. 체는 아르헨티나의 방언으로 〈친구〉라는 뜻이다.

여행하다가 혁명에 함께하게 되었으며 마르크스주의자이다. 양심과 신념이 뚜렷하였으며, 죽기 전까지 일기를 썼다. 혁명을 준비하면서도 돈에 대한 확실한 계산을 위해 금전 출납부도 기록했다.

1967년 10월 8일 생포되어, 9일 볼리비아 하사관의 손에 의해 사살되었다. 1995년 존 리 앤더슨Jon Lee Anderson이 체의 전기를 기록하면서 무덤에서 양손이 잘린 체를 발견하고, 1997년 10월 17일 쿠바로 송환되어, 산타클라라에 체의 묘지를 만들었다. 사진 촬영은 엄격히 금지했다.

체가 솔선수범한 정책이 〈문명 퇴치와 무상 의료 복지〉이다. 〈자유 쿠바인〉이라는 신문을 창간하였고, 유머 감각이 있는 교양 있는 혁명가이다.

변화의 시작은 상상력이다. 상상력은 변화를 가능케 한다. 삶이란 축적하는 것이 아니라 소멸하는 것이다. 변화는 낡은 것이 죽고, 새로운 것이 태어날 때에만 가능하다고 하는 소신껏 실천한 앞서가는 사람이었다.

체 게바라 기념관Museo Memorial Che Guevara
영원한 승리의 그 날까지

cico revolucionario o para ser
revolucionario, lo primero que

청동으로 만든 높이 6m인 체의 동상이다. 동상 오른쪽에 볼리비아로 떠나기 전 피델에게 보낸, 마지막 체의 편지가 있고, 동상 후면에는 박물관과 추모관(촬영 금지)이 있다.

체 게바라와 혁명용사들의 추모관 외관

애기를 안은 체 게바라 동상

산타클라라 혁명 관광지

1958년 12월 15일경 거사 2주 전 무기 탈취를 위한 준비를 했다. 총을 막기 위해서 옷과 옷 사이에 모래를 넣었다.

1958년 12월 29일 길쭉한 지렛대로 철도를 뜯어내고, 기차가 전복되면 화염병을 던지기로 하였다. 그리고 체와 24명의 혁명군은 485명의 정부군이 탄 기차를 진압하는 데 성공했다.

체 게바라는 자신보다는 나라를 먼저 생각한 사람이다. 전략적인 사람으로 혁명을 위해서는 목숨도 아까워하지 않았다. 게다가 아르헨티나 출신이니, 국적도 뛰어넘는 사람이다. 한 번은 체에게만 치킨을 주고 부하에게는 밥만 주었더니, 그러면 안 된다고 하면서 함께 섞어서 먹었다고 한다.

또한, 산타클라라 사람들은 체의 혁명지에 사는 것을 자랑스럽게 생각하지만, 체만 보지 말고 다른 것도 보라고 하면서, 춤을 추고, 음악을 즐기는 것도 체 못지않게 중요하다고 했다.

체가 폭파한 철로 자리에 와 있다. 열차가 왔다 갔다 한다. 지난 역사의 거리에 와 있는 기분이다. 마차도 다니고 소형 낡은 버스도 다니고, 독일 병정들이 모는 군용 지프도 다닌다. 영화의 한 장면 같다.

장갑 열차 기념비 Monumento a la Toma del Tren Blindado

쿠바 혁명의 분기점으로 1928년 12월 29일 바티스타 정권 장갑 열차와의 교전에서 승리한 것을 기념한 기념비이다. 창살 23개는 23일에 공격한 것을 상징한다.

산타클라라의 심장이자 상징인 비달 공원Parque Leoncio Vidal

1월 28일은 피델의 생일로 축제 분위기였다.

1월 28일은 좋은 날이라고 결혼식도 많이 하였다.

산티아고 데 쿠바 역사 전시관에서

쿠바 역사 맛보기

약 525년 전 세상에 쿠바가 알려졌다.

수천 년 전 타이노족 등 원주민이 있었으나, 1492년 10월 28일, 이탈리아 제노아 출신의 탐험가 크리스토퍼 콜럼버스가 스페인의 지원을 받아 쿠바를 발견하고, 스페인 영토로 선포하였다. 이후 1762년에 1년간 영국의 식민지였던 때를 제외하면 400년 간(1498~1899) 스페인의 식민지가 되었다. 콜럼버스가 쿠바를 발견하고 〈이곳은 사람의 눈으로 본 가장 아름다운 땅이다〉라고 일기에 기록했다.

16세기 초부터 스페인인들은 아프리카의 흑인 노예를 수입하여, 1826년까지 100만 명의 아프리카 노예를 수입하였고, 중국인 10만 명과 미국인도 유입되었다. 17~18세기에 흑인들이 여러 차례 반란을 일으켰으나 스페인의 가혹한 탄압으로 끝났다.

영국 군대는 1762년 6월 6일 쿠바를 침입하여 아바나를 포위하고 11개월 동안 점령하였다. 이 기간에 영국은 4,000명의 아프리카 노예를 수입하고 쿠바의 무역망을 광대한 범위로 넓혔다.

쿠바와 미국 간의 긴밀성은 쿠바의 역사에 매우 많은 영향을 끼쳐 미국은 끊임없이 쿠바를 지배하려고 넘보았다.

19세기에 까를로스 마누엘 데 세스페데스는 1차 독립 전쟁(1868~1878)을 일으켰으나 스페인은 쿠바의 자치를 허용하지 않았고, 군사 통치자 발레리아노 웨일러Valeriano Weyler는 무자비하게 진압하였다.

1895년 4월 쿠바 혁명당을 결성한 호세 마르띠를 중심으로 2차 독립 전쟁(1895~1898)이 시작되었다. 1895년 호세 마르띠는 전사했지만, 경제적 · 정치적 이유로 쿠바를 돕던 미국이 스페인에 승리하면서 1898년, 쿠바는 스페인으로부터 독립하였다. 1898년 스페인은 쿠바를 미국에 양도하고, 쿠바는 3년 간(1899~1902) 미 군정기를 겪는다.

1903년에는 관타나모에 미국 해군의 기지가 설치되고 쿠바의 중추적 기능을 미국 자본이 장악하는 등 쿠바는 미국의 사실상의 식민지가 되었다.

1940년 쿠바 공산당 바티스타는 선거로 정권을 획득했다.

1952년 3파전 선거에서 여론 조사에서 3위였던 바티스타가 선거에서 이길 가능성이 희박해지자, 3월 10일 쿠데타를 꾀하였다. 그렇게 군사 쿠데타로 미국과 결탁하여 바티스타가 권력을 재수립했다. 상황이 이렇다 보니 1934년부터 1959년까지 정치 · 경제적으로 미국에 의존하는, 사실상 미국의 식민지가 되었다. 1953년 피델 까스뜨로, 체 게바라가 내전을 치렀으나 1차 혁명은 실패로 돌아가고, 1956년에 시작한 2차 혁명에서 성공하게 되었다.

1959년 피델 까스뜨로가 혁명을 일으켜 정권을 장악하였고, 체 게바라, 라울 까스뜨로, 까밀로 씨엔푸에고스를 만나면서, 피델은 혁명 정부의 총리가 되었다.

1961년에는 그 혁명이 사회주의적임을 천명하였다. 이후, 미국은 쿠바를 침공하였으나 실패하였고, 1962년 쿠바 미사일 위기로 미국은 쿠바를 침공하지 않겠다고 약속하고, 쿠바와 단교를 선언하였다. 산따클라라에서의 피델 까스뜨로와 체의 게릴라 전투 시작이 쿠바 혁명의 결정적인 요인이 되었으며, 이후에는 계속 미국과 대립 상태였다.

1967년 10월 9일 체는 볼리비아에서 총살당했다.

1970년대 쿠바는 볼리비아, 앙골라 등의 무장봉기를 지원하였고, 미국은 이에 대응하여 해당 국가의 독재자들을 원조하였다.

1989년 소련의 붕괴로 쿠바는 소련의 지원을 받을 수 없게 되자 심각한 경제난에 직면하게 되었다. 쿠바 혁명 때부터 1993년까지 쿠바의 독재 정권을 피하기 위해 120만 명의 쿠바인이 쿠바를 탈출하였다.

1993년에는 일부 민간 경제에서 미국과의 교류를 허용하였으나, 미국은 금수 조치로 일관하였다. 쿠바에는 양심수가 500명에 이르는 등, 쿠바 정부는 지난 30년 동안 인권 침해에 대해 비판을 받아 왔다.

1998년에는 교황이 쿠바를 방문하였고, 2008년 병이 중해진 피델 까스뜨로는 동생 라울 까스뜨로에게 쿠바 국가 평의회 의장을 넘겨주었다.

2014년 라울 까스뜨로와 미국의 오바마는 54년 만에 적대적 관계를 청산하고, 미국과 외교 관계를 정상화했다.

2016년, 11월 피델이 사망하였다. 쿠바 혁명은 단순히 정치권력의 변동만이 아니라, 경제 · 사회 · 문화 모든 분야에서의 총체적인 혁명이었다.

이 전쟁을 이끈 작가이자 시인이자 국민적 영웅 호세 마르띠Jose Marti는 미국에서의 도피 생활 중 10년 넘게 전쟁을 조직하였다. 그는 쿠바를 독립 공화국으로 선포하였으나, 스페인과 접전 중에 도스 리오스Dos Rios에서 총에 맞아 사망했다. 그의 죽음은 그를 불멸케 하였고, 그는 쿠바의 국민적 영웅이 되었다.

현재 Cuba President인
라울 까스뜨로Raul Castro

그리고 이후 정치적 부패와 사회적 불공평으로 점철된 풀헨시오 바티스타 독재 정권에 대항해서 두 차례에 걸친 무장 투쟁을 벌였던 젊은 변호사 피델 까스뜨로와 의사 체 게바라, 피델의 동생 라울 까스뜨로. 이 사회주의 혁명가들이 1953년 7월 26일부터 1959년 1월 1일까지 완수한 혁명으로 쿠바는 사회주의 국가가 되었다.

〈쿠바 혁명〉이 성공하게 된 이유는 어디에 있을까?

부패한 바티스타 정권에 맞서 싸웠다. 1953년 1차 혁명에 실패하고, 1956년 2차 혁명에서 게릴라전으로 농민과 함께하는 농민 봉기가 산악 지대의 혁명을 성공으로 이끌었다.

경제, 교육, 보건과 의료의 중요성을 알고 혁명을 했으며, 혁명 이후 혼란을 새롭게 정비하는 것 또한 관건으로 보았다. 부패한 바티스타 정권을 타도하여, 미국의 간섭에서 탈피하고자 하였을 뿐, 피델은 공산주의도 아니고, 마르크스주의자도 아니어서 혁명이 성공하게 되었다.

혁명의 이유가 권력을 잡으려는 개인적인 욕심이 아니었고, 쿠바의 설탕으로 소련과 경제 관계를 맺는, 실질적인 쿠바식 민주주의를 원했다. 쿠바식 민주주의는 이념적인 것에서는 아주 자유로웠다.

그래서 쿠바의 혁명이 성공한 것으로 생각된다.

쿠바가 힘들게 한 것들

매연

올드 카, 오토바이, 버스 등 매연이 안 나오는 것이 거의 없다. 뿌연 연기가 뿜어 나와야만 삶의 의욕을 느끼는 것인가?

그 매연으로 호화찬란한 색깔의 올드 카를 더 올드스럽게 하여 위엄을 자랑하려 하는 것인가?

목이 메케하고, 눈이 따갑고, 코가 따갑고, 얼굴이 따갑다. 감기가 걸린 상태에서 왔더니, 매연 때문인지 목이 간질간질하면서 나오는 기침이 여행 내내 나를 힘들게 했다. 매연이 심한 아바나 센뜨로에서는 마스크를 준비하는 것이 좋겠다.

소음

아바나의 숙소Casa나 산타클라라 숙소가 중심Centro에 있어선지 마차가 지나가는 말굽 소리, 자동차 소리, 오토바이 소리가 귀에 거슬렸다. 자려고 하는 밤에는 더욱 더 시끄럽게 느껴졌다.

공중 화장실

사회주의 국가는 이런 것인가? 제대로 앉을 수 있는 변기는 아예 없다.

정부가 관리해야 하는 소모품이기에 없다고 한다. 거기에다가 휴지도 없고, 물도 나오지 않는데도, 사람이 지키면서 휴지 조금 떼어 주고 변기에 물을 붓고, 1페소를 달라고 했다. 안 받는 곳도 있지만.

짜서 먹지 못한 음식

바닷가재와 치킨이 주 메뉴로 맛은 있지만 식사를 주문 할 경우에는 sin sal (소금 빼고)을 강조하는 것이 좋겠다.

벼룩시장의 〈크리얼 모히또〉

빵 속에다 닭고기, 돼지고기, 생선을 넣고 파는데, 병에 든 벌레 물 같은 것을 뿌려서 팔고 있어, 무엇이냐고 물어보았더니 〈크리얼 모히또〉라고 했다. 매운 작은 남미 고추를 식초에 넣은 것이라고 했다.

입에 맞지 않는 과일

파인애플, 토마토, 망고, 파파야, 코코넛, 바나나, 구아바, 구아나바나, 중국 자두, 사포딜라 등 종류는 많았다.

그러나 먹을 수 있는 것은 바나나, 망고, 파인애플, 토마토뿐이었다. 모네다로 살 경우 아주 싸다. 입에 맞지 않아서인지 10,000원으로 10명이 먹고 남았다.

쿠바인의 삶의 태도

정부가 모든 인민의 복지를 책임지는 나라에서 사는 쿠바인들은 긍정적이다. 주어진 조건에서 살아가는 지혜가 있다.

그래서 그들은 행복하다. 서로의 다름을 인정하는 열린 사회로 쿠바인들은 대립이나 갈등하지 않고, 싸움도 하지 않는다. 다혈질이 아니고 평화주의자이다.

일상 속에서 행복을 자유자재로 찾아내서 느낄 줄 안다.

행복을 쾌락이 아니라 의미 있는 가치로 여기고, 평범한 일상에서도 행복을 포착해 내는 행복의 기술이 있다.

그래서 쿠바 사람들은 평화롭고 행복하다.

쿠바는 낙원이다! Cuba es un paraiso!

아바나는 천국이다! La Habana es un paraiso!

쿠바 앞날의 변화는?

쿠바는 남미에 마지막 남은 사회주의 국가로, 변화하기 전에 보아야 한다고들 여행을 많이 왔지만, 가까운 나라에서는 피서도 많이 왔다.

과연 쿠바는 얼마 만에 어떻게 변할까?

자국민들이 변하려고 하지 않아도 많은 세계 외국인들이 그들을 그냥 두지는 않을 것 같다. 다만 혁명 국가인 만큼 국가를 위하는 사회주의 이념이 국민 개개인에게 영향을 주어 쉽게 무너지리라 생각되지는 않는다.

그러나 미국을 싫어하면서도 미국 마이애미로, 또 캐나다로 가려고 하는 것은 개인주의를 우선하는 사람들이 많아진다는 것이다. 또한, 자본주의의 좋지 않은 영향을 받아 관광객을 속여 돈을 벌려고 할 것이 우려된다.

그러나 적어도 이것 하나만은 변하지 않기를 바란다.

1천2백만 쿠바인 중에서 1천만 명이 뮤지션이라는 것!

이것이 쿠바의 자유로움과 열정이며, 하나의 공동체라는 공감대를 형성하는 핵심이라고 생각되기 때문이다.

쿠바를 떠나면서 남는 여운은?

난 지나간 역사 속에서 빠져나오는 기분이다. 매연 탓에 아스라이 지난 과거에서 현실로 깨어나는 기분이다. 또한, 오토바이 소리, 말굽 소리, 살사 음악이 귓전에 맴돌며 점점 소리가 멀어져 간다. 그리고 여기저기 잘생긴 체의 모습과 고운 피델 까스뜨로의 사진과 글과 말들이 눈앞에서 아른거린다. 또한 서로를 신뢰하는 쿠바의 협동조합은 〈함께 일하고 함께 나누는 것〉이다. 더불어 살아가는 삶은 외롭지 않겠다는 생각도 들었다. 그래서인지 쿠바 사람들은 자살을 전혀 모른다.

우리나라는 왜 어른들도, 젊은이도 스스로 자살을 하고, 갓 난 아기부터 어른들까지 또한 죽임을 당하는 것일까?

자살 없는 쿠바를 보고 나니, 돈과 권력만 가지려고 하지 말고, 우리나라 정부에서 자살과 죽임을 당하는 이러한 문제점을 소중히 여겨 주었으면 하는 마음이 간절해진다. 또한 문제 청소년들에게 요리 학교에서 요리를 배우게 해서 레스토랑으로 직접 연결해주는 것을 보고, 우리도 이러한 정신을 가진 협동조합이 마을마다 생겨 아름다운 대한민국이 되었으면 하고 희망도 해본다.

시가를 피우는 쿠바인

소중한 내 다리

스페인어의 Espanol 기본

Alfabeto

a [아]	g [헤]	m [에메]	s [에쎄]	y [이글리에가]
b [베]	h [아체]	n [에네]	t [떼]	z [쎄따]
c [쎄]	i [이]	o [오]	u [우]	
d [데]	j [호따]	p [빼]	v [우베]	
e [에]	k [까]	q [꾸]	w [우베도블레]	
f [에프]	l [엘레]	r [에레]	x [에끼스]	

특이 발음

c [쎄]	ca [까]	ce [쎄]	ci [씨]	co [꼬]	cu [꾸]
g [헤]	ga [가]	ge [헤]	gi [히]	go [고]	gu [구]
h [아체]	ha [아]	he [에]	hi [이]	ho [오]	hu [우]
j [호따]	ja [하]	je [헤]	ji [히]	jo [호]	ju [후]
x [에끼스]	xa [싸]	xe [쎄]	xi [씨]	xo [쏘]	xu [쑤]
z [쎄따]	za [싸]	ze [쎄]	zi [씨]	zo [쏘]	zu [쑤]
y [이글리에가]	ya	ye	yi	yo	yu
ll [에예]	lla [야]	lle [예]	lli~ [이~]	llo [요]	llu [유]
n [에네]	na [냐]	ne [녜]	ni~ [니~]	no [뇨]	nu [뉴]
	gue [구에=꾸]	gui [구이=기]	que [께]	qui [끼]	

전반적인 인사들

만남

Buenos dias!	안녕하세요 (아침 인사)
Buenos Tardes!	안녕하세요 (오후 인사)
Buenos noches!	안녕하세요 (저녁 인사)
Hola / Encantado(a)	안녕 / 반가워
Mucho gusto	반갑습니다
Que tal? / Asi asi	어떻게 지내니? / 그저 그래
Como estas?	너 어떻게 지내니?
Bien / Muy bien	좋아 / 아주 좋아
Mal / Muy mal	않 좋아 / 아주 않 좋아
Que bien / vale	잘됐다 / 좋아
Me gusto	좋습니다

작별

Chao / Adios!	안녕
Hasta luego! / Y tu?	다음에 봐! / 너도?
Hasta manana! / Hasta pronto!	내일봐! / 곧 봐!
Buen fin de semana!	주말 잘 보내!
Feliz viaje! / Suerte!	여행 잘해! / 행운을!

감사

Muchas gracias	대단히 감사합니다
Disculpe / De nada	실혜합니다 / 천만에요
Con permiso	잠시 지나가겠습니다
Por favor! (=please)	부탁합니다
Perdon! / Lo siento	죄송합니다 / 유감입니다
No se / Igual	모릅니다 / 같습니다

특별

Salud!	건배, 건강을!
Dios mio! / Animo!	오 아이고! / 기운내, 힘내
Feliz Navidad!	메리 크리스마스
Prospero ano y felicidad	번영과 행복을 기원해
Feliz Ano Nuevo!	새해 복 많이 받으세요
Feliz cumpleanos!	생일 축하해

출신

De donde eres?	어디서 오셨어요?
De donde es usted?	당신은 어디 출신이에요?
Soy de corea, del sur	저는 한국사람 입니다
Hablo mas despacio, por favor	더 천천히 말해주세요
Como se llama usted?	이름이 뭐예요?
Me llama Soyoung, Y usted?	내 이름은 소영, 당신은요?
Cuantos anos tienes?	몇 살이야?
Tengo sesenta anos	60살이야

지도

Deme un mapa, por favor	저도 좀 주세요
Tiene un mapa en coreano?	한국어 지도 있어요?

환전소

Donde hay una casa de Cambio?	환전소가 어디예요?
Quiero hacer el cambio de moneda	환전하려고요
Me puede dar dinero suelto	잔돈으로 주세요

레스토랑

sin azucar	설탕 빼고
con azucar	설탕 넣고
sin sal / con sal	소금 빼고 / 소금 넣고
Sin un poco	소금 조금
carta	메뉴판
Meda mas agua, for favor?	물 좀 더 주시겠어요?
La cuenta, por favor	계산서 주세요
Me da esto para llevar, por favor	남은 음식 싸주세요

단어

agua	물	la carne de vaca	소고기
langosta	가재	el cerdo	돼지고기
arroz	밥	el pollo	닭고기
camaron	새우	el pescado	생선
paella	볶음밥	Te	차
llave	열쇠	helado	아이스크림
jabon	비누	cama	침대
fria	차가운	toalla	수건
caliente	뜨거운		

물건 살 때

Cuanto cuesta?	얼마입니까?
Es muy caro	너무 비쌉니다
Mas barato por favor	싸게 주세요
Descuenta, por favor	깍아 주세요
No se lleve mi equipaje	내 가방 가져가지 마세요

숙박할 때

Hay habitaciones? = Tiene una habitacion	방 있습니까?
Quanto custa la noche?	하루 밤에 얼마입니까?
Puedo ver la habitacion?	볼 수 있나요?
Esta incluido el desayuno?	아침식사 포함입니까?
Esta incluido el cena?	저녁식사 포함입니까?

시간

Que hora es ahora?	지금 몇 시예요?
Es la una	한시예요
Son las dos	두시에요
Es la una y treinta	한시 삼십 분이예요

hoy	오늘	ayer	어제	manana	내일	ahora	지금

요일 / 계절 / 12개월

domingo	일	Enero	1월
lunes	월	Febrero	2월
martes	화	Marzo	3월
miercoles	수	Abrill	4월
jueves	목	Mayo	5월
viernes	금	Junio	6월
sabado	토	Jilio	7월
Enero	봄	Agostode	8월
verano	여름	Septoembre	9월
otono	가을	Octubre	10월
invierno	겨울	Noviembre	11월
		Diciembre	12월

ano	년	luna	월	dia	일

숫자

cero	0	veinticinco	25
uno	1	veintiseis	26
dos	2	veintisiete	27
tres	3	veintiocho	28
cuatro	4	veintinueve	29
cinco	5	treinta	30
seis	6	treinta y uno	31
siete	7	cuarenta	40
ocho	8	cincuenta	50
nueve	9	sesenta	60
diez	10	setenta	70
once	11	ochenta	80
doce	12	noventa	90
trece	13	ciento	100
catorce	14	doscientos	200
quince	15	trescientos	300
dieciseis	16	cuatrocientos	400
diecisiete	17	quinientos	500
dieciocho	18	seiscientos	600
diecinueve	19	setecientos	700
veinte	20	ochocientos	800
veintiuno	21	novecientos	900
veintidos	22	mil	1,000
veintitres	23	mil ciento uno	1,101
veinticuatro	24	diez mil	10,000
cien mil	100,000	diez million	10,000,000
uno million	1,000,000	cien million	100,000,000
		mil million	1000,000,000

		남		여	
		단수	복수	단수	복수
그것	eso	ese	esos	esa	esas
이것	esto	este	estos	esta	estas
저것	aquello	aquel	aquellos	aquella	aquellas
aqui 여기 / ahi 거기 / alli 저기					

SER(~이다) 동사는 원래 가지고 있는 특징에 사용

인칭 대명사		SER
Yo	나	soy
Tu	너	eres
Usted / El / Ella	당신 / 그 / 그녀	es
Nosotros / –as	우리 남자들 / 여자들	somos
Vosotros / –as	너희 남자들 / 여자들	sois
Ustedes(Uds) / Ellos / Ellas	당신들 / 그들 / 그녀들	son

me	나를 / 나에게	nos	우리를 / 우리들에게
te	너를 / 너에게	os	너희를 / 너희들에게
lo	그를	los	그들을
la	그녀를	las	그녀들을
a 영	영을 / 영에게	tu / mi	너의 / 나의

의문문은 앞(거꾸로)과 끝에 ? / 주어 생략 가능하다

¿ (Tu) eres china?	너는 중국 여자니?
Si, (Yo) soy china	응, 나는 중국 여자야
No, no soy china	아니, 나는 중국 여자가 아니야
Soy coreana	나는 한국 여자야

¿Sois coreanos?	너희들은 한국 남자들이니?
Si, somos coreanos	응, 우리들은 한국 남자들이야.
No, no somos coreanos	아니. 한국 남자들이 아니야
Somos chinos	우리들은 중국남자들이야
Soy guapa	나는 예쁘다
Eres guapa	너는 예쁘다
El es muy guapo	그는 아주 잘생겼다

예) Casa 주소
Talle industria 270 entre (between) Neptuno y virdes 801 Olgita 7863 5514

ESTAR(~이다, ~있다)동사는 지금 가지고 있는 일시적 상태

인칭 대명사		ESTAR	
Yo	나	estoy	en+장소
Tu	너	estas	
Usted / El / Ella	당신 / 그 / 그녀	esta	
Nosotros / –as	우리 남자들 / 여자들	estamos	
Vosotros / –as	너희 남자들 / 여자들	estais	
Ustedes(Uds) / Ellos / Ellas	당신들 / 그들 / 그녀들	estan	

주어가 남성일 때	주어 생략 가능하다
Estoy cansado	나는 피곤하다
Estamos cansados	우리들은 피곤하다
Estais cansados	너희들은 피곤하다
Ellos estan cansados	그들은 피곤하다

<table>
<tr><td rowspan="4">어디에서</td><td rowspan="4">donde</td><td>¿Donde vas?</td><td>어디에 가니?</td></tr>
<tr><td>Voy a casa para descansar</td><td>쉬려고집에가</td></tr>
<tr><td>¿De donde eres?</td><td>너는 어디 출신이니?</td></tr>
<tr><td>¿Donde estudias espanol?</td><td>너는 어디에서
스페인어를 공부하니?</td></tr>
<tr><td rowspan="2">어떻게
어떤</td><td rowspan="2">Como</td><td>¿Como estudias espanol?</td><td>어떻게 스페인어를 공부하니?</td></tr>
<tr><td>¿Como es ella?</td><td>그녀는 어떤 사람이야?</td></tr>
<tr><td rowspan="3">무엇</td><td rowspan="3">Que</td><td>¿Que estudias?</td><td>너는 무엇을 공부하니?</td></tr>
<tr><td>¿Que eres?</td><td>직업이 뭐야?</td></tr>
<tr><td>¡Vale! ¿Que vas
a hacer hoy?!</td><td>좋아! 너는 오늘 뭐 할거야?</td></tr>
<tr><td>누구</td><td>Quien</td><td>¿Quien ensena espanol?</td><td>누구가 스페인어를 가르치니?</td></tr>
<tr><td colspan="4">언제 Cuando / 왜 Porque</td></tr>
</table>

나도 찍어주세요~

어디로 가야 해?

쿠바,
삶의 여유를 배우다

초판 1쇄 인쇄 2017년 11월 29일
초판 1쇄 발행 2017년 12월 05일
지은이 김소영

펴낸이 김양수
편집·디자인 이정은
교정교열 장하나

펴낸곳 도서출판 맑은샘
출판등록 제2012-000035
주소 경기도 고양시 일산서구 중앙로 1456(주엽동) 서현프라자 604호
전화 031) 906-5006
팩스 031) 906-5079
홈페이지 www.booksam.co.kr
블로그 http://blog.naver.com/okbook1234
페이스북 https://www.facebook.com/booksam.co.kr
이메일 okbook1234@naver.com

ISBN 979-11-5778-250-5 (03940)

* 이 책의 국립중앙도서관 출판시도서목록은 서지정보유통지원시스템 홈페이지 (http://seoji.nl.go.kr)와 국가자료공동목록시스템(http://www.nl.go.kr/kolisnet)에서 이용하실 수 있습니다.
(CIP제어번호 : CIP2017032030)